Bergstraße
Odenwald

Fotos
Anton M. Grassl
Werner Richner

Text
Dr. Richard Henk

Verlag
Brausdruck GmbH
Heidelberg

Copyright:
Brausdruck GmbH
Heidelberg, März 1988
2. Auflage

Buchgestaltung:
Doris Braus van Essen
Heidelberg

Gesamtherstellung:
Brausdruck GmbH
Heidelberg

ISBN 3-921524-19-9

Bergstraße
Odenwald

Der Landstrich, der gemeinhin Odenwald genannt wird, zählt zu unseren lieblich-sanften Regionen und bildet ein freundliches grünes Mittelgebirge, an das wohl kein anderes heranreicht. Es ist eine Landschaft des harmonischen Ausgleichs, die immer von neuem zu überraschen und zu beglücken versteht. Die Linien des Gebirges heben und senken sich in lebhaften Rundungen, ohne je kantig oder gar schroff zu werden, auch nicht an den stolzen Fronten zur Rheinebene hin, an deren Ausläufern sich die berühmte Bergstraße entlangschlängelt.

Es gehört zu seinen besonderen Merkmalen, daß ein Gebirgszug nach dem anderen einander folgen können, langgezogen und ruhig, in ihren weichen Stufungen ein besonders anmutiger Anblick, von einer fast atmosphärischen Musikalität (Abb. Rückseite). Wenn dann noch in den Tälern die stille Bewegung des Flusses hinzukommt, wie etwa am Neckar oder Main, kann sich ein spiegelbildlicher Zusammenklang der landschaftlichen Schönheit ergeben, weil der sanfte Zug der Berge sich auf der Oberfläche des Wassers in einer kontrastreichen Verkürzung wiederholt.

Hier wie dort, auf der Kreidacher Höhe, über Ernsttal, an den Hängen des überaus schönen Gammelsbachtals oder an den Rändern um Grasellenbach, schmiegen sich freundliche Fluren an stolze Anstiege und münden waldige Gebirgszungen in sanftem Übergang in eines der welligen Hochplateaus. Mancher Ort liegt malerisch auf einem Gebirgskamm, wie das Städtchen Lindenfels oder die Gemeinde Rothenberg mit Kortelshütte über dem Finkenbachtal. In den Tälern findet sich eine Anzahl wenig bekannter Ruinen, wie etwa jene der Burg Freienstein, von deren Wehren einst die Erbacher Besatzung in jedes Haus des Ortes Gammelsbach hineinblicken konnte. In Ernsthofen im Modautal verrät nur die Spitze eines Bergfrieds hinter den Häusern das ausgedehnte ehemalige Wasserschloß derer von Wallbrunn, das malerisch in einer Senke gelegen ist (Abb. 77). Auf dem Höhenweg von Hirschhorn ins Ulfenbachtal stößt der Wanderer vor Unterschönmattenwag (im Volksmund: »Schimmeldewoog«) auf eine Siedlung – ganz abseits von den Verkehrswegen –, die sich Corsika nennt. Sie trägt den Namen nicht zu Unrecht; liegt sie doch, wie manch andere Odenwaldgemeinde, ganz entfernt von der Umwelt an einem Hochhang, wie eines der vielen Höhendörfer des fernen Südens. Schneebeladene Gipfel lassen im Winter das Gebirge mehr hervortreten. Auf der »Tromm« wie auf den Höhen um Siedelsbrunn, Kortelshütte und des Katzenbuckels über Eberbach bietet sich reichlich Gelegenheit zum Wintersport. Von den reizvollen winterlichen Spaziergängen gar nicht zu reden. Loipen und Lifte fehlen nicht.

Bläulich-lila schimmert das Geäst, voran die Zweige der Birken vor dem Austrieb im Vorfrühling. Wenig später strecken sich neben den hellgrünen Blättern der Buchen die zarten Spitzen der Lärchen himmelwärts. Der flaumige Saum blühender Mandel- und Obstbäume längs der Bergstraße lockt Jahr um Jahr Tausende und Abertausende von Besuchern an. Bis in den späten Mai reicht die Apfelblüte in den Hochtälern. Im Frühsommer funkeln nirgendwo die Kastanienblüten so zahlreich wie hier. Der matte Glanz des Sommerlaubes reicht bis an die Ufer des Neckars und des Mains und lockt zu Streifzügen in die Seitentäler.

Wo gibt es einen vergleichbaren Herbst? Zwischen dem Grün der Nadelhölzer leuchtet in der Sonne die rote Glut der Sandsteinböden auf. Das Laub der Birken, Buchen und Eichen, des Ahorns und der wilden Kirschbäume schillert in allen Varianten, vom matten Gelb bis zu den dunkelsten Nuancen des Rotbrauns. In der frühen Morgensonne mag ein Odenwaldrücken in leuchtende Ockertöne getaucht sein. Im Abendlicht vermag er sich in herbstlich-filigrane Pastelltöne, vom zarten Lila bis zum dunklen Violett, in einen Zauberberg zu verwandeln. Es ist jene Atmosphäre des Verwunschenen, der Widerschein einer verzauberten Natur, der einst Wolfram von Eschenbach auf Burg Wildenberg mit dazu bewogen haben mag, sich dem Mysterium des Parsifal zuzuwenden.

Ausgedehnte Fliehburgen und Ringwälle bei Heidelberg und Miltenberg erinnern an die frühe keltische Besiedlung des Landes. Unter Kaiser Domitian (81–96 n. Chr.) wird das Mittelgebirge erstmals in das römische Grenzgebiet einbezogen und zu seiner Sicherung mit dem Bau eines »Odenwald-Neckar-Limes« begonnen. Es geschieht mit der gewohnten Präzision und der strategischen Übersicht der damaligen Weltmacht, die auch hier ihre Vorliebe für möglichst gerade Linien beibehält und es bei einer dringend notwendigen Geländeanpassung beläßt. Die Schneise führt über einen durchgehenden Gebirgszug in Richtung Wimpfen, um dann nach Schlossau ohne jede Korrektur schnurgerade bis zu dem Neckarstützpunkt zu gelangen. Wachttürme aus Holz sind ihr gefolgt, jeder jeweils in Sichtweite zum nächsten! Ein geschlossener Palisadenzaun kommt in der Regierungszeit von Kaiser Hadrian (117–138 n. Chr.) hinzu. In die Kohorten-Numerus- und in die sog. Kleinkastelle werden römische Hilfstruppen, u. a. Sequaner, Aquitaner und Brittonen, verlegt, um die neuen Grenzen zu schützen.

Weitere Erfolge erlauben es Rom 148–161 n. Chr., einen neuen Limes weiter östlich zu errichten, der von Miltenberg aus nun schon weitgehend durch das vordere Bauland führt.

Beide Limes sind wegen ihrer reizvollen Lage zum beliebten Ziel der Wanderer geworden. Zwischen den Höhen um Waldleiningen in Richtung Schlossau verdient der Limesweg ein besonderes Interesse, weil durch Schautafeln der jeweilige Standort näher erläutert wird. Eine ausgesprochene Exkursion in die römische Militärgeschichte bietet sich dabei an!

In der zweiten Hälfte des 3. Jahrhunderts n. Chr. werden die römischen Stellungen von den Alemannen überrannt. Das sagenumwobene Burgunderreich verfügt spätestens um 405 n. Chr. über die westlichen Abschnitte des Odenwaldes. Es ist gewiß kein Zufall, daß heute noch zwei wichtige Verkehrswege, nämlich die Nibelungen- und die Siegfriedstraße, vom damaligen Hauptsitz Worms in den Odenwald führen, die erstere über Bensheim ins Lautertal und weit darüber hinaus, die zweite über Heppenheim ins Tal der Weschnitz quer durch das Mittelgebirge.

Hunnische Hilfstruppen des römischen Feldherrn Aetius überfallen und zerstören 436/37 n. Chr. das Burgunderland, König Gundikar und viele der Seinen finden dabei den Tod. Nur ein kleiner Teil des germanischen Volksstammes kann sich in das obere Rhônetal retten.

Diese grausamen Ereignisse finden ihren Niederschlag in dem Nibelungenlied, jenem ersten großen Epos unserer frühen Zeitgeschichte. Es kann daher sogar stimmen, daß Hagen von Tronege (Tronje) in der Nähe des Lindelbrunnens, etwa bei Grasellenbach bzw. bei dem nahen Hüttenthal oder eben doch bei Heppenheim, den kühnen Recken Siegfried an seiner einzigen verwundbaren Körperstelle – wie die Sage meint – niedergestreckt hat.

Früh erhalten die Reichsklöster Lorsch und Fulda karolingisches Königsland zum Lehen, wobei Lorsch in besonderer Gunst des Geschlechtes durch die Zuweisung der Mark Heppenheim und des Forstbanns Odenwald der Löwenanteil des Mittelgebirges zufällt. Drei Jahrhunderte vergehen, bis die Pfalzgrafen bei Rhein als Vögte des Klosters in der Region genügend Einfluß gewinnen, um ein entscheidendes Wort mitzureden. Dem Bistum Würzburg gelingt es dagegen schon im 10. Jahrhundert, in den Besitz von Amorbach zu gelangen, wenn auch über den Weg von gefälschten Dokumenten.

Lange sichern die staufischen Festen Wildenberg, Lindenfels und Eberbach am Neckar den Einfluß der kaiserlichen Herrschaft. Mit der Übernahme des Besitzes von Kloster Lorsch im Jahre 1232 reicht die Herrschaft des Mainzer Erzstiftes bis zum fernen Tauberbischofsheim. Aber es kommt darüber zu einem langen Streit mit Kurpfalz um die Bergstraße. Mainz muß um 1400 Heppenheim, Bensheim und einiges Land dazu den Heidelberger Fürsten als Pfand überlassen. Erst im Jahre 1621, und am Ende des 30jährigen Krieges, kann endlich das Pfandrecht aufgelöst werden.

Mit dem Verfall des Reiches wächst die Macht der Landesfürsten. Nur ihrer Uneinigkeit verdankt der bodenständige Adel, wie die Schenken von Erbach, die Herren von Breuberg oder die Grafen von Wertheim, die Erhaltung bzw. die Erweiterung des Besitzes.

Die Erbacher haben es dabei geschickt verstanden, sich im Laufe der Jahrhunderte in vielen Teilen des Odenwaldes festzusetzen und wenn es mitunter auch nur als Ganerben geschieht, wie etwa in Breuberg. Sie werden unter der Sonne von Kurpfalz zu heimlichen Mitregenten des Mittelgebirges.

Als Nachfolger der Grafen von Katzenelnbogen strecken die Landgrafen von Hessen seit 1479 mit der Burg Lichtenberg ihre Fühler ebenfalls in den Odenwald aus.

Seine Entlegenheit bewahrt den Odenwald vor den schlimmsten Verwüstungen, wenn auch verschiedene Heere im 30jährigen Krieg und später Unheil genug anrichten. Das Schicksal der Pfalz bleibt den Orten dieses Landstrichs jedoch erspart. Selten hat eine der altehrwürdigen Abteien so lange über weltlichen Besitz verfügt wie hier. Die Lehnsherrschaft des Klosters Fulda über Breuberg währt von 765–1803!

Im ersten Jahrzehnt des 19. Jahrhunderts verschieben sich durch Napoleon nochmals die Grenzen. Das Großherzogtum Hessen übernimmt als Nachfolger des Mainzer Kurstaates und der Grafschaft Erbach weite Teile des Odenwaldes. Es kommt dann noch einiger kurpfälzischer Besitz, wie Lindenfels und die Wormser Enklave Neckarsteinach, hinzu. Nur ganze drei Jahre Herrschaft bleibt dem Fürstentum Leiningen – vom Linksrheinischen unter Zwang in die Region gelangt – vorbehalten (1803–1806). Amorbach und Miltenberg mit den dazugehörenden Landstrichen werden 1806 Bayern zugeschlagen.

Im letzten Jahrhundert ist der Odenwald mehr und mehr in Vergessenheit geraten. Die römischen Legionäre haben sich auf seinen Höhen wohl besser ausgekannt als unsere Vorväter. Die Verkehrswege führen allerdings lange um ihn herum oder auch weit an ihm vorbei.

Reichtum war für den gewöhnlichen Sterblichen im Odenwald früher kaum zu erlangen. Die alten Häuser, locker in den Tälern verstreut und sich hie und da zaghaft an die Hänge und Einschnitte der Berge anlehnend, sind Zeugen genug, wie knapp und karg, wie sparsam es hier damals zugegangen ist. Viele Bauernsöhne sahen sich daher gezwungen, in der Rheinebene nach Arbeit zu suchen, häufig sind sie auch ausgewandert.

Die stattlichen Herrensitze unterscheiden sich dagegen kaum von den Profanbauten anderer Landstriche. Die Residenzen der Leininger- und Wertheim-Löwensteiner Fürsten strecken sich mächtig und stolz auf ausgesuchten Plätzen. Auch das Mainzer Erzstift weiß sich an seinen Schwerpunkten überaus herrschaftlich zu repräsentieren.

Nein, es ist gewiß kein Zufall, daß ausgerechnet die Maler der Romantik als erste den Odenwald wiederentdecken. Diese unberührte Landschaft mit ihren zahlreichen Ruinen entspricht ihren künstlerischen Vorstellungen und bestärkt sie in ihrer Zuwendung zur Natur und ihrem Interesse an den historischen Zeugen der Vergangenheit. Carl Philipp Fohr (1795–1818, ertrunken im Tiber) macht sich von Heidelberg aus auf den Weg und scheut keine Mühen und Hindernisse, um das jeweils ihn interessierende Ziel zu erreichen. Selbst das entlegene kleine Landschloß in Nauses entgeht seinem Stift nicht. Es bedarf dann nur noch ganz kleiner Ergänzungen, um das Idyllische mehr hervorzuheben. Meist geschieht es mit einer zwanglos-figürlichen Gruppierung, die er randnah in den Vordergrund seiner Bilder stellt.

Die Darmstädter Maler Johann Heinrich Schilbach und August Lucas folgen später Fohrs Spuren und lassen dabei den vorderen Odenwald und die Bergstraße nicht aus. Ihre Zeichnungen wie auch etliche Bilder von Fohr gelangen durch die Gunst der großherzoglichen Familie in die Darmstädter Museen.

Es gehört zu den Verdiensten des »Wandervogels«, in den Jahren vor dem Ersten Weltkrieg den Odenwald als begehrtes Ziel der Rast und landschaftlicher Streifzüge entdeckt zu haben. Mancher Odenwaldbauer hat den jungen Gästen – kamen sie doch mit Rucksack, Fiedel und dem herausfordernden Schillerkragen – mit Erstaunen, aber auch mit dem Verständnis und der Fürsorge, welche den armen Leuten eigen ist, einen Schlafplatz in seiner Scheuer oder in einem Heuschober zugewiesen. Die Festen Otzberg und Breuberg werden bald zum jährlichen Treffpunkt der Jugendbewegung.

Städtische Wandervereine, voran der Odenwaldklub, haben es sich ebenfalls zur Aufgabe werden lassen, die schönsten Wege des Waldes mit ihren Zeichen zu versehen, um auch dem Unkundigen ausgedehntere Wanderungen zu ermöglichen.

Nach dem Krieg nimmt die Zahl der Besucher ständig zu. Sie kommen meist mit Rucksack, festem Schuhwerk und wenigen Silberlingen im Geldbeutel in die Täler und Buchten. Familien der Stadt mit nur knappem Urlaubsgeld schließen sich ihnen mehr und mehr an. Viele suchen Genesung und streben jährlich in Richtung Bad König und Lindenfels. Den Herbergen des Landes ist jeder Gast willkommen.

Die große Stunde des Odenwaldes schlägt dann in den Jahren des aufkommenden allgemeinen Wohlstandes nach dem letzten Weltkrieg. Dem Städter ist häufig jede Aussicht verbaut worden, wenn er nicht gerade an den Rändern seiner Gemeinde einen Platz gefunden hat. Das eigene Heim wird ihm darüber trotz aller Ausstattung einfach zu eng. Er und die Seinen verspüren ein Verlangen nach würziger Waldluft, nach einem satten, ohne Zutun gewachsenen Grün, nach einer landschaftlichen Stille, die jeden von ihnen wieder zu sich kommen läßt. Sich endlich wieder einmal in einem großen Wald verlieren und dann an einen gedeckten Tisch setzen können! Es ist die Freiheit des Raumes, die im Odenwald gesucht wird, auch die offene Ferne mit ihren überraschenden Ausblicken. Dafür wird sogar eine längere Anfahrt in Kauf genommen.

Manchen Südlandfahrer zieht es wieder in die heimatlichen Wälder, zu den grünen Tälern und Wiesen mit Bächen, die sogar genügend Wasser führen. Sie finden auf den Höhen des Odenwaldes ein mildes und bekömmliches Klima, und es macht Spaß, wieder einmal zünftig durch das Land zu ziehen. Verschwiegene und beheizbare Waldbäder bieten reichlich Gelegenheit zum Schwimmen oder Planschen. Auch für den Kunstfreund – man denke nur an Amorbach – gibt es genügend zu sehen und zu bewundern. Gelegenheit zum Kneippen ist ebenfalls geboten, sogar in Höhenlagen (Grasellenbach).

In den letzten drei Jahrzehnten ist im Odenwald vieles geschehen. Die Ortschaften haben sich überall herausgeputzt, eine wahre Freude, den jeweiligen Fortschritt zu beobachten! Etliches Fachwerk wurde unter dem Verputz freigelegt und schmückt jetzt die Marktplätze und einmündenden Gassen. Mit den historischen Baudenkmälern ist man behutsam und mit Geschick umgegangen. Die alte Kellerei in Michelstadt erstrahlt wieder in ihrem ursprünglichen Glanz, nachdem sie lange genug durch die Ungunst der Zeit Aschenbrödel der Stadt geblieben war (Abb. 90). Erstklassige Unterkünfte sind überall hinzugekommen und mit Bedacht in mittleren Größen festgeschrieben und begrenzt worden.

Die Odenwälder haben die vielen schlimmen Jahre keineswegs vergessen und verstehen es, freundlich mit ihren Gästen umzugehen wie eh und je.

Umgehungsstraßen führen indessen an den meisten Städtchen vorbei, die es in ihren Zentren sogar zu Fußgängerzonen gebracht haben. Die Lücken zu den Hauptverkehrswegen sind indessen meist durch moderne Wohnbauten ausgefüllt worden. Industrieanlagen werden, wenn irgend möglich, in das entlegenere Abseits geschickt, dafür mit Zufahrtsstraßen besonders großzügig bedacht.

Wie gut, daß es Wildparks gibt! Hier stoßen die Besucher tatsächlich immer wieder auf Rotwild, und es bleibt nicht bei gelegentlichen Begegnungen mit den scheuen Steinböcken.

Auf den Wanderer warten die schönsten Höhen, die Einsamkeit langgestreckter Wälder und die verschwiegenen Matten zahlreicher Kuppen laden ein zu erholsamer Rast. Hier ist es schon reiner Zufall, wenn einer dem anderen begegnet. Keine geteerte Straße führt auf den »Hohen Nistler« über Dossenheim. Der Berg will auf Schusters Rappen bezwungen sein. Der Anstieg lohnt sich! Unten breitet sich der endlose Obstgarten der Bergstraße aus. Aus dem Dunst der Rheinebene tauchen die Weinberge der Haardt, die Silhouette des Doms von Worms und an besonders klaren Tagen auch die von Speyer auf.

Aber erst die Sicht nach Osten! Die sanften Gebirgsrücken des Odenwaldes ziehen launisch in wechselnde Richtungen. Wie Zungen schieben sich die Wiesen zwischen die Fluchten des Berglandes. Leuchtendgelbe Rapsfelder wogen im Frühsommer gegen das dunkelgrüne Geäst der Nadelhölzer. Die kargeren Lichtungen stehen gelegentlich voll von rotem Fingerhut. Durch Baumlücken schimmert häufig blühender Ginster.

Diese entlegenen Höhen des Odenwaldes bleiben ein lohnendes Ziel für alle Landsleute mit wachem Sinn für die Schönheiten einer Landschaft: sie bleiben ein Refugium für die so selten gewordenen »Wandervögel« unserer Zeit.

Längs der Bergstraße

Am nördlichen Einlaß der »strata montana«, Roms alter Heerstraße, liegt Hessens einstige Residenz- und Landeshauptstadt Darmstadt, die größte und zugleich jüngste Gemeinde der Bergstraße. Die wechselhaften Ereignisse von Jahrhunderten haben hier dem Wald wenig anzuhaben vermocht. Seine Ausläufer reichen wie eh und je bis nahe zum Stadtinnern heran. Selbst in den Bezirken zur Ebene säumen alte Bäume die Straßen oder unterbrechen gepflegte Parkanlagen die Häuserzeilen. Darmstadt ist eine Stadt des grünen Laubs, eine Stadt des Waldes geblieben.

Die über 400 Jahre währende Herrschaft der Landgrafen von Hessen hat bleibende Spuren hinterlassen. Im Stadtkern wurde von vornherein großzügig geplant und gebaut, nicht zuletzt durch den berühmten Baumeister Georg Moller, der unter anderem das klassizistische Hof- und spätere Landestheater sowie den »Langen Ludwig« errichtet hat. Unser Zeitalter hatte deshalb keine Mühe, die Verkehrswege im Zentrum offen zu gestalten.

Anderes ist dann hinzugekommen, unvorstellbar Schlimmes, fast der Untergang: In der Nacht vom 11./12. November 1944 genügen 40 Minuten Bombenhagel, um aus der Stadt eine einzige Trümmerwüste zu machen. Es bleiben einige erkennbare Ruinen von Bedeutung übrig, die es später erlauben, historisch wichtige Baudenkmäler an Ort und Stelle wieder aufzurichten.

Es geschieht mit großer Umsicht und ohne Eile, denn es gilt zunächst, den Einwohnern wieder zu einer neuen Unterkunft zu verhelfen. So ist es gelungen, einiges von jener ungewöhnlichen Intimität des alten Stadtkerns in die neue Zeit hinüberzuretten, altertümliche bauliche Edelsteine zwischen großzügig-modernen Architekturformen.

Zum Glück ist das Schloß mit seinem stolzen barocken, zum Marktplatz gerichteten Flügel (Louis Remy de la Fosse, 1716) wieder der ruhende Pol in der Stadtmitte (Abb. 45). Die Stadt hat das frühere Aussehen der Residenz bewahrt und das hübsche und anmutige Renaissance-Rathaus in seinen bescheidenen Ausmaßen auf seinem gewohnten Platz gegenüber dem Schloß erstehen lassen. Es folgen der »Weiße Turm« und der »Lange Ludwig«, der wieder bestiegen werden kann. Wie sehr Darmstadt bemüht ist, den historisch wertvollen Besitz zu erhalten, ist schon daraus zu ersehen, daß auch das mehr verwinkelte Altschloß ebenfalls restauriert und inzwischen fertiggestellt worden ist. Volutengiebel schmücken wieder die Residenz. Das alte Glockenspiel von Salomon Verbeck (1670) unter der Haube des Glockenturms muß freilich durch eine neue Mechanik ersetzt werden. Im Inneren der Residenz gibt es manchen jähen Wechsel des Baustils, und man geht nicht fehl in der Annahme, daß den Landgrafen mitunter das Geld zum Weiterbauen ausgegangen ist. An der stolzen Schauseite des Schlosses – im strengeren französischen Barock gehalten – hat es nämlich aus ähnlichen Gründen mehrere Stockungen gegeben. Das Schloß kann ganz durchquert werden. Am nördlichen Eingang erinnert uns die Brücke an das ehemalige Wasserschloß, dessen Gräben bis 1814 gefüllt gewesen sind. Zum Schloß hin entdeckt man ein malerisches In- und Nebeneinander von Baufluchten – Renaissance-Giebel fehlen dabei nicht (Abb. 46). Die Landgrafen bevorzugen schlichtere Fronten, keineswegs nur aus Gründen der Ökonomie. Die enge Verflechtung mit dem protestantischen Glauben trägt viel dazu bei, im baulich Nüchternen zu bleiben und dem Dekorativen nur einen knappen Platz zu belassen. So fällt selbst das Porzellanschlößchen recht bescheiden aus und Schloß Lichtenberg im nahen Odenwald weist im Innenhof nur sparsame Schmuckformen auf. Nur bei ihren Wappen ist den Landgrafen jeder Prunk recht und kein Schnörkel zuviel. Man sehe sich nur das schöne Exemplar über dem Eingangsportal zum Schloßmuseum an! Die strengen und sehr in sich geschlossenen Formen der Volutengiebel sind so außergewöhnlich in ihrer Ausführung, daß sie bei ähnlicher Anordnung in der näheren und weiteren Umgebung als »darmstädtisch« bezeichnet werden.

Beim Herrengarten ist wiederum alles anders. Hier ist großzügig verfahren und die Anlagen in anmutiger englischer Weise gestaltet worden. Ganz entzückend schließt sich nach Osten der Prinz-Georg-Garten in französischen Zierformen an, mit zwei hübschen Sonnenuhren versehen und eingerahmt vom Porzellanschlößchen und dem wiederhergerichteten schmucken Prettlackschen Haus. In der Stadt zählt die alte Lateinschule (das »Pädagog«, 1629) mit ihren stolzen Volutengiebeln zu den letzten baulichen Aufbereitungen, das klassizistische Landestheater – zum Glück nur teilweise beschädigt – wird mit Hilfe des Landes Hessen als letzte zu schließende Lücke demnächst folgen. Der mächtige rote Turm der evangelischen Stadtkirche gilt für den Besucher als wichtige Orientierungshilfe und hat sich in seinem alten Mauerwerk, das z. T. aus dem 13. Jahrhundert(!) stammt, weitgehend erhalten.

Täuschend nah ragt der Hochzeitsturm (J. M. Olbrich, 1908) wegen seiner ungewöhnlichen Höhe in das Stadtbild. Dem Wahrzeichen des sog. Jugendstils sind seine Wunden von 1944 nicht mehr anzumerken (Abb. 41). Auch die übrigen Gebäude auf der Mathildenhöhe haben ihr ursprüngliches Aussehen wiedererlangt.

Auf der Mathildenhöhe lasse man sich Zeit. Die Relieffiguren am Hochzeitsturm verdienen besondere Beachtung, eine mehr stilisierende Darstellungsweise ist unverkennbar. Mit viel innerer Wärme liest sich hier unter der Sonnenuhr das schöne Gedicht von Rudolf G. Binding.

Aspekte des Großzügigen begleiten auch in Darmstadt den Jugendstil, am Ausstellungsgebäude müssen daher glatte Flächen und gerade Stufungen das Äußere mitbestimmen. Die Russische Kapelle steht wie eine exotische fremde Schwester am oberen Rand (Abb. 43). Neuromanische Formen finden nach oben einen byzantinischen Abschluß, in feinsten Maßwerkarbeiten und vergoldeten Turmzwiebeln, die in der Sonne funkeln. Ein geradezu in klassischen Formen ausgeführtes Wasserbecken der Künstlerkolonie grenzt die Kapelle von dem Weiteren ab, wobei eine höher gelegene weiße Bank, von dorischen Säulen im Wasser getragen, von dem Hintergrund abzulenken versteht. Die Deutsche Akademie für Sprache und Dichtung hat im Ernst-Ludwig-Haus einen würdigen Standort erhalten. Die Innenwand des weit ins Innere reichenden Eingangs weist hier eine abstrakte, in sich geordnete Ornamentik auf. Wie harmonisch sich die Giebelfronten des Peter-Behrens-Hauses von dem übrigen abheben! Durch den Platanenhain heißt es besonders langsam wandern. Jeder Block verdient eine eingehende Betrachtung. Einzigartig und immer noch zeitnah wirken die schlanken Relieffiguren von Bernhard Hoetger. Von dem stillen Innehalten des Menschen scheinen sie in einem fort erzählen zu wollen (Abb. 42).

In den Mauern der Stadt hat stets ein Geist der schöpferischen Unruhe geherrscht. Häufig besucht hier Goethe seinen Jugendfreund, den kunstsinnigen Kriegsrat Johann Heinrich Merck, aus dessen Familie später das bekannte Weltunternehmen hervorgehen wird. Justus von Liebig bringt das Reich der Chemie in eine fruchtbare Bewegung. Darmstadts großer Sohn, der Dramatiker Georg Büchner, wird wegen seiner revolutionären Ideen steckbrieflich gesucht und fällt viel zu früh im fernen Zürich einer heimtückischen Krankheit zum Opfer. Aus denselben Gründen muß sich Ernst Elias Niebergall, wohl unser bedeutendster Mundartdichter und Verfasser des unsterblichen »Datterich«, mehrere Jahre als Hauslehrer bei einem Förster verdingen, weil er nicht umhin kann, sein Studium aufzugeben. Aus der Zusammenarbeit der »Darmstädter Sieben«, einer Gruppe von Architekten, Bildhauern und Graphikern unter der Leitung von Olbrich, entsteht um die Jahrhundertwende ein wichtiges Zentrum des Jugendstils (Art nouveau), das den gotischen Nachbauten ein Ende bereitet und die moderne Bauweise nicht unwesentlich beeinflußt hat. Doch nicht genug damit!

Vor dem Ersten Weltkrieg wächst in Darmstadt eine Generation junger Männer heran, die der sozialen Unruhe ihrer Zeit politisch und künstlerisch Ausdruck zu verleihen sucht.

Zu ihnen zählen Theo Haubach und Carlo Mierendorff, beide getragen von kühnen Gedanken einer sozialen Erneuerung, für die sie später schwere Opfer bringen müssen: Haubach erleidet im Januar 1945 einen schmählichen Tod in der berüchtigten Berliner Richtstätte Plötzensee.

Casimir Edschmid gehört bald zu den Wortführern des deutschen Expressionismus. Aber es fehlen unter ihnen auch nicht die Stilleren und Besinnlichen, wie der Schriftsteller Wilhelm Michel oder der Verleger »Pepi« Würth, aus dessen Werkstatt die schönsten Büttendrucke in alle Welt gehen. Zu den bevorzugten Autoren zählt ferner Hans Schiebelhuth, Sänger und Dichter der nachdenklich-verträumten Schalmeien des »Frohvogels«.

Ein lebendiger Geist – man denke nur an die »Darmstädter Gespräche« – waltet weiterhin in dieser Stadt. Im nahen Schloß Kranichstein (Abb. 47), einem schönen Renaissance-Bau mit einem bemerkenswerten Jagdmuseum, wurden die internationalen Ferienkurse für »Neue Musik« eröffnet. Die großen Kunstausstellungen auf der Mathildenhöhe haben Weltruf erlangt. In Darmstadt wird der Georg-Büchner-Preis verliehen. Das Deutsche PEN-Zentrum hat sich ebenfalls hier niedergelassen. Wertvolle Impulse gehen auch von der angesehenen Technischen Hochschule aus.

Darmstadt ist eine moderne Großstadt geworden, nicht nur in ihrem Profil. Die Stadt hat zu einem neuen Rhythmus gefunden, mit dem dazugehörenden vibrierenden Temperament, pulsierendes Leben strömt durch die Straßen.

Auf dem Weg nach Eberstadt kann einem das in einem kleinen Park reizend gelegene »Moserschlößchen«, das eine so feine Gliederung zur Mitte aufweist, gar nicht entgehen. Nach dem Vorort kommen die Türme der Feste Frankenstein auf dem Kamm eines Odenwaldrückens in Sicht. Siehe da! Der hessische Staat hat der bekannten Burg mit einer vorzüglichen Zufahrtsstraße seine Reverenz erwiesen.

Frankenstein ist dann doch wesentlich umfangreicher und langgestreckter, als man von unten angenommen hat. Die schützende Ringmauer zur offenen Flanke reicht tief hinab und ähnelt einer Schildmauer. Sie wird nach innen durch einen mehrgeschossigen Turm (1527) verstärkt. Der Zwinger um die Kernburg ist von gewaltigen Ausmaßen (Abb. 48). Von dem Torturm aus hat man einen weitreichenden Ausblick, der die Rheinebene mit einschließt, ebenso Darmstadt und nach Osten den welligen vorderen Odenwald mit seinen vielen Seitentälern. Die Restaurierung im letzten Jahrhundert hat Verbindungen zwischen den massiven Blöcken hergestellt und ein wenig Romantisches aufkommen lassen, ohne ernsthaft zu stören. Das Geschlecht der Frankensteiner war im Mittelalter durch das »Eselslehen« weit über seine Gemarkung bekannt. So mußte eine Darmstädterin, die ihren Mann geschlagen hatte, nach einem feierlichen Beschluß des Narrengerichtes, am Aschermittwoch unter dem Johlen der Zuschauer auf einem Esel von Eberstadt nach Darmstadt reiten. Knecht und Vierbeiner hatten die Frankensteiner zu stellen.

Das Seeheimer Rathaus darf ohne Einschränkung als ein Fachwerkgiebelhaus par excellence bezeichnet werden, so reichhaltig sind seine Formen, vor allem unter den Fenstern und an den Gesimsen. Ein reizendes Uhrtürmchen bildet den oberen Abschluß.

Schon die Auffahrt durch den alten Park ist es wert, Schloß Heiligenberg über Jugenheim aufzusuchen. Sie führt nämlich durch ein geöffnetes Gittertor, und der Besucher wird zunächst das peinliche Gefühl nicht los, ein Privatgrundstück in Serpentinen zu durchqueren, bis dann die gelben Mauern des ehemaligen Battenberger Besitzes nach einigen hübsch angelegten Teichen und seltenen Exoten (Mammutbäume, Libanonzedern u. a.) in den Blick geraten. Dem südlichen Teil der Anlage und dem Eckturm ist die klassizistische Vergangenheit anzusehen, wenn auch nicht gerade im Anspruchsvollen. Der Brunnen im Innenhof findet besonderen Anklang, weil er von alten Bäumen traulich eingegrenzt wird. Die langgestreckte Balustrade neben dem Schloß zieht in ruhigen, vornehmen Formen auf gleicher Höhe nach Süden und trägt klassisch nachgebildete Gefäße auf ihrem oberen Abschluß. Allen anderen Orten der Bergstraße voraus, fangen hier Mandel- und Magnolienbäume im Frühling an zu blühen, so windgeschützt und im Wärmestau ist der schöne Park gelegen.

Die Bergstraße führt nach Jugenheim an das Gebirge heran. Die Ursache dieser Schwenkung liegt weit zurück. Das Gebiet war nämlich früher versumpft und eine Passage nur auf dem festeren Grund der Gebirgsausläufer möglich. Das Städtchen Zwingenberg wurde so zum Riegel des Nord-Süd-Verkehrs. Eine Wasserburg im Tal und eine Feste auf jener Gebirgsnase, auf der noch heute die alte Kirche steht, sicherten den Handelsweg, den »Paß«, wie er damals genannt wurde. Die Grafen von Katzenelnbogen, so auch Johann III. im 15. Jahrhundert, haben einfach eine Straßensperre errichtet und den Handelsleuten Wegegeld abverlangt, wenn ihnen einmal die Mittel ausgingen – sehr zum Mißvergnügen ihrer Mainzer Lehensherren.

Das Städtchen liegt malerisch am Hang und wirkt immer noch dicht zusammengedrängt. Teile der Stadtmauer mit aufgesetzten Fachwerkgiebeln erregen bei der Anfahrt besondere Aufmerksamkeit und tragen dazu bei, beim Schild »Zum historischen Marktplatz« einzubiegen. Die quadratische Anlage ist von schmucken Fachwerkbauten eingesäumt, ein ansprechender Marktbrunnen bildet die Mitte. Nur wenige Schritte weiter befindet sich die alte Kellerei, die nach Süden mit einem schlichten, aber eindrucksvollen Renaissance-Giebel (darmstädtisch) abschließt. Später sind in den langgestreckten Bau ein Amtsgericht, ein Rentamt und ein Arresthaus eingezogen. Zimperlich ist man hier mit den Gefangenen nicht gerade umgegangen. Vor dem Antritt der Strafe und nach ihrem Vollzug erhielten sie – um weiteren Missetaten vorzubeugen – jeweils 25 Stockschläge.

Stadteinwärts liegt das Schlößchen, ehemaliger Sitz des Amtmanns (1520, umgeb. 1779), ein typischer Winkelbau mit einem hübschen Halberker als Verbindung zum Treppenturm. Die Fensterstürze weisen Vorhangbogen auf!

Eine Vielzahl von Treppen will bezwungen sein, ehe die alte evangelische Kirche (1258) oben erreicht ist (Abb. 49). Gotteshaus und Kirchhof werden von mächtigen Mauern umgeben, ein Zeichen mehr, daß der Friedhof früher befestigt gewesen ist. Erstaunlich bleibt, was sich nicht alles in dem doch recht kleinen mittelalterlichen Hauptschiff zusammengefunden hat: ein Altar, eine keineswegs kleine Orgel, Emporen zu beiden Seiten, die Kanzel und schmale Sitzreihen. Der romanische Triumphbogen wurde in seinen Ansätzen anläßlich einer Restaurierung 1958(!) entdeckt; er trennt im Rundbogen den Chor von den Schiffen. Trotz dem Vielerlei kommt ein Gefühl der Beengung nicht auf, weil alles wie selbstverständlich und zusammengehörig ineinander übergeht.

Vom Vorplatz aus hat man einen weiten Blick in die Rheinebene. Zwingenberg befindet sich tatsächlich noch weitgehend innerhalb der alten Stadtmauern, ein Dach dicht neben dem anderen.

Nur die bekannte »Scheuergasse«, seit 1500 genannt und wegen möglicher Brandgefahr außerhalb der Mauern belassen, zieht mit ihren malerischen Schuppen schnurgerade nach Westen. Eine Besichtigung lohnt sich durchaus, zumal sich dort ein kleineres, aber sehr aufschlußreiches Heimatmuseum befindet.

Die Stadtchronik bezeugt ein Marktrecht (1274) durch Rudolf von Habsburg, der Ort wird 1012 erstmals genannt. Während des Einfalls kaiserlicher Truppen am 19. 8. 1635 schreibt der verzweifelte Kaspar von Wehrmar an den Landgrafen Georg: ». . . dass die Soldaten den Amtskeller bis aufs Hembd ausgezogen . . . über das etliche Weiber und Jungfrauen mit sich genommen und davon gefürt«. Zum Verdruß seiner Bürger muß Zwingenberg wie manch andere hessische Gemeinde lange eine »Fräuleinsteuer« entrichten, wenn eine Tochter des Landgrafen sich zum Heiraten anschickt.

Eine Weile führt die Bergstraße an den Ausläufern des Melibokus entlang, der mit 517 m zu den höchsten Erhebungen des hessischen Odenwaldes zählt. Das Schild zum »Auerbacher Schloß« kann kurz nach der Einfahrt in den Ort eigentlich nicht übersehen werden. Die Auffahrt bringt manche interessante landschaftliche Überraschung, weil sie über einen langen Zwischenhang zur Feste führt. Man nehme wegen des Wendens den vorletzten Parkplatz!

Der Wald reicht im Osten bis an die mächtige Schildmauer und an den tiefen Halsgraben heran. Ein doppelter Zwinger um die Kernburg unterstreicht die Wehrhaftigkeit der Anlagen, die in der weniger geschützten Ostflanke den Charakter einer Bastion annehmen. Wie bei der Marksburg bevorzugten die Grafen von Katzenelnbogen einen dreieckigen Grundriß, der die Feste kantiger,

14

weniger verwundbar werden läßt und die Verteidigung erleichtert. Die Mauern sind auch oben durch Wehrgänge zu begehen (Abb. 51), an den Ecken durch Rundtürme zusätzlich gesichert.

Im malerischen Südabschnitt ist der Eckturm massiver ausgefallen, weil er auch den Palas zu decken hat. Er ist vom Wehrgang durch eine Pforte zu besteigen und weist oben einen Rundgang auf. An die Kapelle im Osten erinnert nur noch ein gotisches Spitzbogenfenster.

Das Bollwerk fällt trotz seiner Armierung 1672 in die Hand der Franzosen, um dann langsam zu verfallen. Erst eine Restaurierung (1900–1905) vermag dann wenigstens den damaligen Stand aufzubessern und zu festigen.

Auch die Abfahrt bleibt eine Einbahnstraße und führt uns in die unmittelbare Nähe des Auerbacher Fürstenlagers, einer zwanglos und locker angelegten Ansiedlung von schlichten barocken Pavillons in einem idyllischen Tal (Abb. 50). Die Landgrafen von Hessen haben in dem englischen Park mit zahlreichen Exoten Erholung, an der Stahlquelle Linderung ihrer verschiedenen Zipperlein gesucht. Ein Hauch von ländlicher Intimität liegt über dem Ort, der wahrscheinlich auch die Zaren und englischen Könige angelockt hat.

Der Stadt Bensheim haben die Wirren längs der Bergstraße erheblichen Schaden zugefügt. Ein großer Teil der stattlichen Bürgerhäuser ist den Brandschatzungen der Kriege zum Opfer gefallen. Bensheim erhält 945 bereits das Marktrecht, 1325 sogar Freiheiten, die an die Rechte einer Freien Reichsstadt heranreichen: 14 Ratsherren, je ein Rats- und ein Gemeindebürgermeister sollen die Stadt verwalten.

Bei der Einfahrt fallen einige langgezogene klassizistische Gebäude auf, ebenso die vielen alten Bäume dazwischen. Man wird daran erinnert, daß Bensheim schon seit langem eine Stadt der Internate und Schulen gewesen und geblieben ist. Es ist dem alten Stadtkern gut bekommen, in eine Fußgängerzone verwandelt worden zu sein, gerade weil man hier auf Schritt und Tritt zahlreichen Fachwerkbauten und Häusern des Stadtadels begegnet (Abb. 53).

Es fängt am Spitalplatz mit einem schönen, in feiner Ornamentik gehaltenen Fachwerkhaus an und geht dann abwechslungsreich an eingefügten Buchten vorbei in Richtung Marktplatz: ein Winkel hübscher als der andere. Der große Marktplatz mit dem mächtigen Brunnen unterstreicht die Bedeutung von Bensheim, als Pfand aus der Zeit der pfälzischen Regierung erinnert im Südosten des Platzes der stolze Bau der Kurfürstlichen Schranne. In übersichtlicher Form und feiner Gliederung präsentiert sich an der Westfront des Marktes die klassizistische katholische Pfarrkirche von Georg Moller, der uns schon in Darmstadt begegnet ist. Bekanntester Adelshof in Bensheim bleibt der barocke Rodensteiner Hof, der auch einen hübschen klassizistischen Gartenpavillon aufweist, der Turm selbst ist neueren Datums. Als malerischster Winkel des Ortes darf die Mittelbrücke über die Lauter gelten, mit den Standbildern des hl. Nepomuk (1740) und Franz Xaver (1747) an den Geländern (Abb. 52).

An der Nibelungenstraße, unweit von Bensheim, liegt beherrschend am Vorsprung eines Hangs, Schloß Schönberg, lange im Besitz der Grafen von Erbach (1. Hälfte des 13. Jahrhunderts!). Nach der Zerstörung während der bayrischen Fehde werden die halbrunden Anlagen im 17. und 18. Jahrhundert zu einem Schloß erweitert und mit einem zweigeschossigen Herrenhaus versehen. Wirtschaftsgebäude gliedern sich seitlich an. Von der alten Burg ist die schwungvolle Baulinie erhalten geblieben, die es von der Anlage aus erlaubt, das Lautertal nach beiden Seiten weit zu überblicken. Ein Park darf natürlich nicht fehlen und dehnt sich mit seinen edlen Nadelhölzern nach oben und seitlich aus.

Nur wenige Kilometer sind es von hier bis zum Reichenbacher Felsenmeer. Man fahre im Ort ungeniert links seitlich zu einem der Parkplätze am Waldrand. Dann wähle man den bequemen Waldweg mit der Ziffer 10! Über einen wahren Sturzbach von Granitfelsbrocken (Abb. 55) gelangt man zu der römischen Riesensäule, zum Altarstein und zur römischen Steinmetzenwerkstatt. Es grenzt an ein Wunder, wie die Handwerker damals mit dem überaus harten Gestein fertig geworden sind und die vorgeschriebenen Formen erarbeitet haben.

Ein Katzensprung ist es von Bensheim nach Lorsch. Von der alten Reichsabtei der Karolinger ist nur die Torhalle erhalten geblieben (Abb. 58). Sie wurde nach dem Vorbild von St. Peter in Rom errichtet, wo sich damals ebenfalls eine Torhalle befand. In Lorsch wird sichtbar, was sich durch die Karolinger, voran Karl den Großen, vollzieht: Das neue Imperium ruht in seinen politischen und kulturellen Inhalten auf den Fundamenten Roms. Dessen Bauformen werden zunächst ohne wesentliche Änderungen übernommen. Was später als romanischer Baustil bezeichnet wird, das muß erst aus diesen Vorbildern heranreifen.

So sind die Säulen und ihre Kapitelle, auch die ionischen Säulen mit ihren Spitzgiebeln im zweiten Geschoß – der verschwenderische Reichtum an Einzelformen tritt in einer Abbildung dieses Bandes hervor –, vorwiegend römischen Ursprungs (Abb. 59).

Es dauert immerhin drei Jahrhunderte, bis das romanische Kapitell in Mitteleuropa einen vergleichbaren Stand der Ausführung erreicht. Aber es sind dann weichere und wärmere Formen in gleitendem Übergang, die des kühlen Glanzes des Römischen nicht bedürfen. Die belebenden Einlegearbeiten an den Fronten lassen eine Erinnerung an Byzanz aufkommen. Noch ist eine völlige Übereinstimmung mit der Landschaft und ihren Menschen nicht hergestellt. Sie wird später, unweit von hier, mit der Errichtung der Dome von Speyer und Worms gelingen.

Auf dem Weg nach Heppenheim kommen die Ausläufer des Odenwaldes unentwegt herunter, einer nach dem anderen, um in der Ebene meist mit einem kleinen Schwenk nach Nordwesten zu enden. Sie folgen einander wie sanfte musikalische Akkorde. Weinberge ziehen über ihre Rücken hinweg. Kurz vor dem Ort steht an einem stattlichen Haus in großen Lettern geschrieben: Rebmuttergarten Heppenheim. Die Stadt hat sich indessen, wie bereits Bensheim, gewaltig in die Rheinebene ausgedehnt. Es heißt daher munter chauffieren, bis die Stadtmitte erreicht ist.

Keine Stadt der Bergstraße kann es an altertümlichen Reizen mit Heppenheim aufnehmen. In keiner Gemeinde findet sich ein Rathaus von ähnlicher Ausdehnung oder vergleichbar schwungvoller Linienführung (Abb. 56). Am Marktplatz ist nur altes Fachwerk zu sehen. Zahlreiche Gäßchen münden aus verschiedenen Richtungen in ihn ein, ein jedes wieder reich an Fachwerk, darunter einzelne Häuser aus dem 15. Jahrhundert. Der Buckelquader des Mönchsturms weist auf die Anfänge des 13. Jahrhunderts hin. Im »Faulen Viertel« trifft man auf die uralte Schmiede. Ringsum ziehen schmale Wehrgäßchen zur Stadtmauer, die nur einen Kampf Mann gegen Mann zuließen.

Wenn es noch eines Beweises mittelalterlicher Bedeutung bedarf: Heppenheim hat es im Laufe der Jahrhunderte zu nicht weniger als vier, jeweils weiter nach außen dringenden Stadtmauern gebracht!

In der alten Apotheke am Marktplatz verbringt Justus Liebig seine Lehrzeit. Als ihn sein Lehrherr – angeblich wegen einer Knallsilberexplosion – ohne lange zu fragen hinauswirft, hat er wohl nicht geahnt, daß sein Zögling bereits mit 24 Jahren einen Lehrstuhl als Professor der Chemie in Gießen einnehmen wird.

Bereits 775 in einer Schenkungsurkunde Pippins des Kurzen genannt, geht Heppenheim wie der übrige Lorscher Besitz 1232 in die Hand des Mainzer Erzstiftes über. Die neuen Herren haben es verstanden, ihrer Macht Ausdruck zu verleihen, wie ihr stattliches Amtshaus beweist. Im Kurfürstensaal finden sich wertvolle frühgotische Fresken, wohl von der gleichen Hand wie die Fresken der Lorscher Michaelskapelle. Hier kann man den Wechsel der Geschichte an den Wänden ablesen! Nur wenig weiter sind die Fenster mit ansprechenden Malereien der Renaissance eingerahmt. Sie entstanden während der über 150 Jahre anhaltenden Pfandherrschaft der Kurfürsten von der Pfalz. Das oberste Geschoß beherbergt jetzt ein sehenswertes Heimatmuseum. Schmuckstücke des Innenhofes sind der frühgotische Erker und der Schneckenturm.

Die katholische Pfarrkirche befindet sich in einiger Entfernung vom Marktplatz und wird wegen ihrer gewaltigen Ausmaße auch »Dom der Bergstraße« genannt. Nur die unteren Geschosse des Nordwestturms sind romanischen Ursprungs, alles andere wurde um 1900 in historisierender Weise errichtet (Abb. 57).

Die Feste Starkenburg über Heppenheim hat einer ganzen Provinz ihren Namen gegeben. Als der Erzbischof Adalbert von Bremen über seinen Einfluß bei Kaiser Heinrich IV. versucht, sich die Liegenschaften des Klosters Lorsch anzueignen, errichtet der Fürstabt um das Jahr 1065 hier schleunigst die ersten Wehren. Der Bremer trifft auf einen vorbereiteten Gegner und muß nach einigem Hin und Her schließlich seine ehrgeizigen Pläne aufgeben. Die Starkenburg ist nicht durch Feindeshand zerstört worden. Ihr heutiges Aussehen verdankt sie dem Beschluß des Mainzer Erzstiftes, die Anlage stückweise als Steinbruch zu veräußern.

Die Feste ist durch eine schmale Straße, die links vor dem Marktplatz abgeht, in vergnüglichem Herumkurven zu erreichen. Die fast quadratisch angelegte Kernburg überrascht durch ihre ungewöhnlichen Ausmaße und wird an drei Ecken von gotischen Rundtürmen armiert. Es folgen Zwinger und eine weitere Ringmauer. Den Besucher faszinieren vor allem die gewaltigen Vorwerke im Nordwesten, auch z. T. im Süden. Hier hat es wirklich Platz genug für eine Vielzahl von Feuerschlünden gegeben (Abb. 54).

Die Weine der Staatsdomäne haben einen Ruf! Auch für den Gast unserer Tage versteht die Stadt zu sorgen. Wo gibt es noch eine Gemeinde, deren angesehene Bürger abwechselnd jeden Sonntagmorgen um 11 Uhr – gratis – die Bürde einer ausgedehnten Stadtführung auf sich nehmen?

Zahlreiche Schleifen um die Ausläufer des Gebirges – im Frühling ein farbenfrohes Fest der Baumblüte – gestalten die Fahrt nach Weinheim abwechslungsreich. Die Stadt an der Weschnitz gehört, wie Heppenheim und Bensheim, zu den ältesten Siedlungen der Bergstraße. Sie erhält 1005 neben dem Markt- auch das Münzrecht, als besondere Auszeichnung. Bis zu den Anfängen des 13. Jahrhunderts hatten die Vögte von Burg Windeck den Lorscher Besitz zu sichern. An der Brüstung der höher gelegenen Wachenburg hat dagegen nie ein Geharnischter gestanden. Sie wurde 1913 durch den WSC (Weinheimer Senioren-Convent) errichtet, der alljährlich hier ein großes Pfingsttreffen veranstaltet (Abb. 61).

Der Streit um das Lorscher Erbe führt zu einem Kuriosum: Neben dem Mainzer Weinheim um den Erbsenbuckel herum entsteht weiter südlich eine pfälzische Neustadt, der heutige Stadtkern mit Marktplatz. Dem Nebeneinander von zwei Gemeinden gleichen Namens wird erst durch Pfalzgraf Ruprecht im Jahre 1454 ein Ende bereitet. Böse Zungen haben – wahrscheinlich nicht ganz zu Unrecht – immer wieder behauptet, Weinheims »schräger« Markt (Abb. 60) verdanke seine Lage nur der Bequemlichkeit der pfälzischen Vögte auf Burg Windeck. Sie konnten sich in der Tat von oben jederzeit Einblick in die Vorgänge im Stadtinnern verschaffen, ohne den beschwerlichen Weg ins Tal einschlagen zu müssen. Schönste Bauten des Platzes sind das ehemalige Kaufhaus und spätere Rathaus und der Fachwerkbau der Löwenapotheke.

Wie es im Mittelalter in Weinheim ausgesehen hat, das ist noch im Gerberviertel zu erkennen (Abb. 60). Dicht gedrängt stehen hier die alten Fachwerkhäuser, eines schöner als das andere, manche Front zwischen zwei Gäßchen nur wenige Meter messend. Enge Durchlässe, wie die Höllenstaffel, führen zum Gerberbach hinunter, der freilich längst unterirdisch abgeleitet worden ist. Der Ruf der Weinheimer Gerber ist nicht verhallt: Aus der kleinen Lederfabrik von Carl Johann Freudenberg ist ein Weltunternehmen mit zahlreichen Nebenbetrieben herangewachsen. Etwas

von dem Stolz der alten Zunft, die Achtung vor dem anderen forderte, ist heute noch in den Hallen des Werkes zu spüren: Es ist bei dem familiären Ton und der Fürsorge von oben nach unten geblieben.

Eine besonders schöne Aussicht erwartet den Besucher auf der Terrasse des Berckheimschen Schlosses (Abb. 62). Welch ein Rasen! Mancher Exote ist in dem englisch angelegten Park zu erblicken, so ein ungewöhnlich großer Ginkgobaum und eine stattliche Atlaszeder. Eine der größten Zedern Deutschlands befindet sich im sog. kleinen Park des Schlosses. Zum Abschluß lohnt es sich, im Schloßcafé einen »Weinheimer Hubberg« aus der Kellerei des Grafen von Berckheim oder einen »Judenbuckel« mit Genuß zu schlürfen, beides Kreszenzen von Rang.

Südlich von Weinheim beginnt die landschaftlich schönste Wegstrecke der Bergstraße. Bis zum Waldrand ziehen zahlreiche, sich an jede Gebirgsfalte schmiegende Weinberge. Der fruchtbare Lößboden hat in der Ebene und am unteren Hang den Obstgarten des Landes erstehen lassen, zur Blütezeit ein Ziel von vielen. Aber es findet sich auch Anlaß genug zu abwechslungsreichen Ausflügen in die Seitentäler.

So lohnt von Weinheim aus ein Abstecher zum Birkenauer Schloß, das inmitten eines Parks an einem kleinen See gelegen ist. Der barocke Helm der Kirche von Großsachsen ist uns Wegweiser zu einer an Anblicken reichen, durch verschwiegene Täler des Odenwaldes führenden Fahrt nach Oberflockenbach oder Rippenweier. Von der Ruine Strahlenburg über Schriesheim hat man einen der schönsten Ausblicke zur Rheinebene. Mancher Fahrer auf der nahen Autobahn sieht die Feste an dunstigen Abenden – wenn sie angestrahlt wird – wie eine Zauberlaterne am Hang matt aufleuchten.

Ein sonniger Weg führt von hier auf halber Höhe bis nach Heidelberg. Wen es jetzt schon in den Odenwald zieht, der folge dem Kanzelbachtal und nehme später im zweiten Gang die vielen Serpentinen bis nach Wilhelmsfeld, einem Höhendorf mit weitem Blick in die Ebene und in den Odenwald.

Die alte Universitätsstadt Heidelberg bildet den festlichen Abschluß unserer Reise längs der Bergstraße. Wohl reichen die Spuren des Klosters Lorsch bis nach Handschuhsheim und zur Michaels-Basilika auf dem Heiligenberg. Das Antlitz der Stadt aber wurde von einer weltlichen Macht, den Kurfürsten von der Pfalz, geprägt, die in einer kaiserlosen Zeit das Recht besaßen, die deutschen Lande zu regieren.

Schon auf der Theodor-Heuss-Brücke hat der Besucher jenen herrlichen Ausblick über die Stadt, den die Welt schätzen- und lieben gelernt hat. Das kurfürstliche Schloß nimmt mit seinen Fronten den ganzen Jettenbühl ein. Die tief hinabreichenden Mauern des Stückgartens mit dem Rondell im Westen scheinen sich im Wald des Berges zu verlieren. Die Schauseite im Norden, reich an Außenfassaden, wird wenig darunter von mächtigen vorgelagerten Bastionen geschützt, freilich nur noch ein Teil des Einstigen, weil Bedeutendes 1693 von den Franzosen weggesprengt wurde. Von der Brücke aus ist bereits zu bemerken, wie hervorragend es Kurfürst Ludwig V. verstanden hat, einen schützenden, wehrhaften Gürtel um das Schloß zu ziehen. Es gibt kein Palais, das nicht auf mächtigen, glatten Wehren steht, der Englische- und der Ottheinrichsbau machen da keine Ausnahme. Dieser umsichtige Fürst, der sich in keine Fehde, schon gar nicht in einen Krieg ver-

wickeln läßt, sorgt bis ins Detail vor und bleibt auch bei den anderen pfälzischen Festen um Absicherung bemüht (z. B. Otzberg). Er hatte wahrscheinlich das Wetterleuchten bemerkt, das von der sich ankündigenden Reformation ausgeht, obwohl er sich von ihr durchaus angezogen fühlt. Seine Mühen werden erst durch den »Winterkönig«, Kurfürst Friedrich V., in Frage gestellt, der aus dem Stückgarten einen Teil des Hortus palatinus und im Dicken Turm einen Tanzboden anlegen läßt.

Die Pracht auf einem festen Unterbau des Wehrhaften ist eine der wichtigsten Ursachen jener Faszination, die von dem Heidelberger Schloß ausgeht. Derartiges will und muß auch aufgezeigt und erreicht sein, ehe es sich nach oben und nach innen in das Festliche begeben kann. Die langgezogene Mauer mit ihren gleichmäßigen Arkaden weiter im Osten, die den Schloßgarten zu halten und die große Terrasse zu tragen hat, erscheint als eine logische Fortsetzung der Anlagen, eine Art Dependance zu dem übrigen. Auf ihrem Rücken und dahinter haben einst, und gar nicht so wenige, Geschütze Platz gefunden.

Von der Heiliggeistkirche sind von der Brücke aus nur der Turm und ihr barocker Helm zu sehen, so dicht steht dort noch das Häusermeer zusammen.

Es zählt zu dem Besonderen der Alten Brücke, daß ihre Pfeiler sie, aus der Entfernung gesehen, anscheinend leichtfüßig über den Fluß tragen. Die Brücke wirkt daher auffällig schlank, wohl auch durch die hohe Wölbung des Brückenleibes, die sich durch den erhöhten Abgang zu beiden Seiten leichter ergibt. Dazu tragen zweifellos auch die hübschen Brückentürme als Einlaß zur Stadt bei. Nahe an sie herangekommen, wird dann doch die massive Bauweise der Brücke mit Erstaunen verzeichnet (Abb. 65).

Der Odenwald bildet dabei den Resonanzboden unseres Ausblicks. Seine geschlossenen Grünflächen lassen Stadt und Schloß mehr hervortreten, seine Hänge ziehen dahinter fast bis zu den Ufern hinab und füllen weiter östlich den Hintergrund aus.

Der Neckar ist breit genug und sein ruhiges Strömen trägt dazu bei, daß sich die Fahrgastschiffe und Lastkähne recht bescheiden, aber durchaus belebend auf seiner Oberfläche bemerkbar machen.

Es lohnt nun wirklich, die gewonnenen Eindrücke auf dem Philosophenweg zu vertiefen (Abb. 64). Von dort aus ist nämlich das Häusermeer, das zu dem Schloßberg wogt, erst richtig zu übersehen, die bisher versteckt gebliebene Region um die Jesuitenkirche kommt endlich zum Vorschein. Das Schloß wird überschaubarer, auch in seiner Tiefe, im Hintergrund taucht deutlich der mächtige Torturm auf. Von hier aus wird erst vorstellbar, daß der etwas vorgeschobene Englische Bau tatsächlich ein wenig höher gewesen sein muß als der Friedrichsbau. Aber es hat schon damals kein Herankommen an die stolze Gliederung der Fassade des letzteren gegeben.

Wie hübsch sich die beiden barocken Lauben auf dem Altan ausmachen! Die Höhenzüge des Königstuhls lassen sich bis weit in das Tal verfolgen. Wiederum fällt, trotz kürzerer Entfernung, wohl durch den steilen Winkel bedingt, eine eher schlanke Alte Brücke auf, die ihren Schatten in den Fluß wirft. Alles andere, besonders das Wesentliche, sollte nun wirklich an Ort und Stelle in Augenschein genommen werden, das Schloß am besten während einer frühen Morgenstunde, ehe der Besucherstrom einsetzt.

Der Schloßhof will eingehend betrachtet sein, im Osten die klare Gliederung des Ottheinrichsbaus, in die auch die Halbsäulen mit einbezogen werden. In seinem untersten Geschoß hat das Deutsche Apothekenmuseum Platz gefunden. Auf der Nordseite besticht der figürliche Schmuck des Friedrichsbaus, die Ahnenreihe beginnt großzügig und sicherlich nicht zu Recht mit Karl d. Großen. Wie gut die Brunnenhalle mit ihren gotischen Bogen gelungen ist! Schlicht, wie König Ruprecht nun einmal gewesen ist, erhebt sich auch sein Bau im Südwesten, mit den Engelsköpfen über dem Eingang. Selbst an den recht trostloszerstörten Gebäuden der Westseite ist wenigstens ein hübscher Erker des Bibliotheksbaus erhalten geblieben. Nicht zu vergessen der einmalige Rundblick in die Zeitperioden der Renaissance! Ihre ersten Zeichen melden sich in den Laubengängen des Gläsernen Saalbaus, von geradezu klassischer Ausstattung folgt der Ottheinrichsbau, um schließlich in der Spätrenaissance in ihrer deutschen Version an den Geschossen und Gesimsen des Friedrichsbaus zu enden.

Wer es eiliger hat, werfe vom Schloßaltan noch schnell einen Blick auf die Stadt und in das Tal mit der ersten Schleife des Flusses im Osten. Zu einem Gang durch den Stückgarten sollte es eigentlich reichen – das angeblich in einer Nacht errichtete Elisabethentor steht dort etwas einsam in der Mitte –, auch zur Besichtigung jener Steinplatte mit den Versen der Marianne Willemer, Verse einer in Liebe erwachten jungen Frau, die Goethe begegnet ist. Eine Heidelberger Romanze.

Nun kann sich der Besucher durch die Straßen der Stadt treiben lassen, Kirchen und Plätze besuchen, der klassizistische Bau der Akademie der Wissenschaften am Karlsplatz mag ihn daran erinnern, daß indessen 600 Jahre seit der Gründung der Heidelberger Universität verflossen sind.

Bleibt nur noch zu sagen, was schon immer für Heidelberg gegolten hat: Hier ist das Geschaute mehr als das Gesagte, der Ausblick mehr als seine Beschreibung, der harmonische Zusammenklang der Natur wohl kaum in Worten zu veranschaulichen. Das Wissen um das Unerreichbare mag Friedrich Hölderlin bewogen haben, sein schönes Gedicht über »der Vaterlandstädte ländlich schönste« schlicht ein »kunstlos Lied« zu nennen.

Heidelberg entläßt seinen Gast mit einer malerischen Doppelschleife des Neckars. Die Hänge des Odenwaldes reichen vorübergehend bis zu beiden Ufern herab. Eine lange Wehrmauer zieht bis zum Stift Neuburg, das zur Hälfte von dichten Kastanienbäumen eingerahmt wird. Kühe können unter dem alten Kloster ungestört weiden, die Stallungen sind im westnördlichen Teil der Anlagen untergebracht. Lange Zeit konnte jedermann erlesenes Spalierobst an der Nebenpforte erstehen. Von nah und fern kommen die Kirchgänger, wenn in dem Gotteshaus des Stiftes eine Christmette gefeiert wird.

Durch den vorderen Odenwald

Man muß das sommerliche Neckartal im Übergang von der Dämmerung zur Nacht erlebt haben! Blauschwarz ziehen die Gebirgsrücken zum Horizont. Sie erscheinen in bizarrer Verkürzung auf der Oberfläche des Wassers. Ihre Ränder sind im Westen in das flammende Rot der untergehenden Sonne getaucht. Die Straßenlaternen von Schlierbach und Ziegelhausen reichen bis weit in den Wald hinein. Der Wechsel von Schatten und Licht läßt die Häuser an den Hängen und am Ufer in durchsichtiger Klarheit hervortreten.

Die nächste Schleife läßt nicht lange auf sich warten. Der Odenwald schiebt sich jetzt nah und ungewöhnlich steil an den Fluß heran. Stützmauern haben zu beiden Seiten die Mauern abzusichern. Dann erfolgt schon die Einfahrt nach Neckargemünd, dessen Häuser anfänglich fast in die Ufer hineinzuragen scheinen. Jachten, aber gelegentlich auch ein Lastkahn liegen in dem malerischen Winkel der Elsenzmündung. An seiner linken Uferseite weist das Städtchen eine stolze Häuserzeile auf, welche die Blicke auf sich zieht. Es handelt sich dabei um das ehemalige kurfürstliche Amtshaus bzw. Jagdschloß, das jetzt gastronomischen Aufgaben dient (Abb. 66) und auf seiner Rückseite in der Neckarstraße erlesenes Fachwerk zeigt.

Neckaraufwärts kommt Dilsberg mit der großen Mantelmauer seiner Burg, die ihre frühe Herkunft (13. Jahrhundert) nicht verleugnen kann, voll in den Blick. Burg Schadeck hängt tatsächlich wie ein »Schwalbennest« hoch oben im Sandsteinmassiv, die beiden schlanken Rundtürme stehen dicht beieinander. Sie zählt zu den kühnsten Anlagen des Neckartals überhaupt (um 1230). Kurz danach folgt die Mittelburg von Neckarsteinach, der eigentliche Sitz der Edelfreien von Steinach. Ein massiver staufischer Bergfried überragt die Mauern. Erbauer ist kein Geringerer als Bligger II. von Steinach, Gefolgsmann von Friedrich Barbarossa und bedeutendster Minnesänger seiner Zeit, der Eingang in die Heidelberger Liederhandschrift gefunden hat. Mittel- und Vorderburg sind noch bewohnt und haben erhebliche bauliche Veränderungen erfahren (Abb. 67). In der riesigen Scheuer mit ihrem eigenartig gestuften Dach nahe der Steinachbrücke und der alten Stadtmauer wurden Eichenrinden getrocknet. Das Gerberhandwerk hat in dem Städtchen lange eine große Rolle gespielt. Nach der Brücke heißt es, nach links in Richtung Waldmichelbach einzubiegen.

Der Wald bleibt einige Zeit unser Begleiter. Erst oben öffnet sich das Tal mit dem Städtchen Schönau, das sich wie die meisten ehemaligen zisterziensischen Siedlungen quer durch die Niederung schiebt. Reste der alten Klostermauern führen rund um den Ort. Von den Anlagen sind nur Teile des Herrenrefektoriums in der jetzigen evangelischen Stadtkirche erhalten geblieben. Das Gewölbe weist die ganze Schönheit des sog. Übergangsstils auf, romanische Formen werden spitzbogig nach oben gezogen, ohne daß irgendeine Verfremdung aufkommt (Abb. 68). Im Steinachtal wird die Forellenzucht ganz großgeschrieben und gewiß nicht von ungefähr. Haben doch die Mönche schon Ende des 13. Jahrhunderts hier die ersten Fischteiche angelegt.

Der Abstand zwischen den Ortschaften wird größer, ein Zeichen dafür, daß der Boden karger geworden und auch mehr zurückgetreten ist. Nach Heiligkreuzsteinach beginnt die Straße in zünftigen Schleifen nach oben zu ziehen.

Es macht keine Mühe, die Scheitelhöhe von Siedelsbrunn zu erreichen. Generationen von Besuchern aus nah und fern haben hier oben an den Tischen der Höhengaststätte bei Kaffee und Kuchen gesessen und den weiten Ausblick nach Nordwesten genossen. Wie auf der Tromm kann auch hier ausgiebig Wintersport betrieben werden, gespurte Loipen, ein Skilift und eine Abfahrtspiste wie auch eine Rodelbahn stehen zur Verfügung.

Von der Siedelsbrunner Höhe kann man sich so richtig nach Waldmichelbach hineinrollen lassen und ist dann überrascht von dem lebhaften Treiben in den Straßen, das ein bedeutendes Urlaubs- und Kurzentrum verrät. Der Ort wird 927 erstmals genannt und ist 1264 den Pfalzgrafen bei Rhein zugesprochen worden. Heilklimatisch begünstigt und auch anerkannt, gibt es von hier aus zahlreiche Gelegenheiten zu Ausflügen, wobei neben der Tromm die Kreidacher Höhe nicht vergessen werden darf, ebensowenig die entfernter gelegenen Ortsteile Ober- und Unterschönmattenwag.

Wir folgen dem Ulfenbachtal in Richtung Affolterbach, in dem es still und ein wenig verträumt zugeht. Die freundliche Landschaft mit ihren Schneisen und Lichtungen kann in vollen Zügen genossen werden. Über Wahlen wird dann Grasellenbach und damit ein abwechslungsreiches Hochplateau erreicht, das bequeme Spaziergänge durch eine ausgedehnte Wiesenlandschaft bis zu den jeweiligen Waldrändern erlaubt (Abb. 69). Auf dem Spessartkopf ist inmitten des Waldes der bekannte Lindelbrunnen der Nibelungensage gelegen.

Die Strecke bis zur »Wegscheide« zählt zu den schönsten Waldpartien des Odenwaldes überhaupt. Oben an der Siegfriedstraße angelangt, heißt es dann in Richtung Lindenfels abbiegen. Nach einer reizvollen Annäherung in langgezogenen Serpentinen gelangt man in den Luftkurort, der sich sattelförmig auf dem Schenkenberg festgesetzt hat (Abb. 70). Er erfreut sich seit langem besonderer Beliebtheit wegen des vorherrschenden milden Klimas, das praktisch keine drückende Schwüle oder einen plötzlichen Kälteeinbruch kennt. Höhenzüge im Norden verhindern kühle Einströmungen, zum anderen streicht dank der günstigen Lage immer etwas frische Luft über den Ort. Das Städtchen wird besonders zur Nachkur für Herz- und Kreislaufkranke empfohlen.

Ein stolzer Rundturm und Reste der Stadtmauer erinnern daran, daß der Ort früher einmal befestigt war. Die Lindenfelser Burg selbst gehört zu den ältesten Anlagen des Odenwaldes, reicht doch ihre Errichtung bis in die Mitte des 11. Jahrhunderts zurück! Das festungsartige Aussehen erhält sie erst später unter den Kurfürsten von der Pfalz. Teile der romanischen Palaswände und Reste des doppelten Zwingers haben sich erhalten.

Der Rundblick von der Burg ist einmalig! Gebirgszüge im Norden und Süden beleben den Blick – im Spätjahr ist es ein buntes Panorama herbstlicher Farben.

Hinter ihren Mauern saß die schöne Klara Dett, Tochter eines später gehenkten Augsburger Ratsknechts und morganatische Gemahlin des berühmten Kurfürsten Friedrich von der Pfalz, lange Zeit gefangen. Schließlich ist sie dann doch freigekommen und hat noch einen neuen Aufstieg erleben dürfen. Einer ihrer Söhne, die übrigens vom Papst als ehelich erklärt wurden, wird zum Grafen von Löwenstein-Wertheim bestimmt und Klara darüber zur Stammutter eines neuen, später gefürsteten Geschlechts.

Über die Nibelungenstraße ist Reichelsheim schnell erreicht. Beherrschend und schon ein wenig abseits vom Gersprenztal liegt die Burg Reichenberg auf einem hohen Bergkegel (Abb. 72). Über dem gotischen Eingangstor erhebt sich ein stolzer Staffelgiebel und erinnert mit der Kapelle an jene Zeiten, als sich die Feste noch im Besitz einer Linie der Erbacher Grafen befand.

Nach Reichelsheim heißt es aufpassen, um nicht die Straße nach dem Dorf Eberbach und damit auch zur Burgruine Rodenstein zu verpassen. Nachher ist es dann nur noch ein Sträßlein, weit unter der Kreisebene, das gerade noch zur Benutzung durch Kraftfahrzeuge zugelassen ist. Kommt tatsächlich ein Auto entgegen, suchen beide Seiten besorgt nach einer Stelle, die ein Vorbeikommen zuläßt. Im vorderen Odenwald gibt es übrigens eine ganze Reihe ähnlicher Verbindungswege, die das Fahren wieder amüsant machen.

Unweit von der Ruine Rodenstein ist für einen Parkplatz gesorgt. Sie wird regelmäßig von zahlreichen Besuchern, auch aus den benachbarten Kurorten, aufgesucht. Die alte Sage von dem Ritter Rodenstein, der bei drohender Kriegsgefahr mit seiner Schar in den Lüften unterwegs ist, mag dabei eine Rolle spielen. Victor von Scheffel und Bergengruen haben sich des unheimlichen Stoffes literarisch angenommen.

Nach einem kurzen steilen Anstieg erreicht man die Burg, die mitten im Wald gelegen ist (Abb. 73). Reste der Kernburg haben sich erhalten, so der Mühlturm im Westen (1336) und der gotische Einlaß zum Palas. Bei allem anderen hat die Fantasie freien Lauf. Von den einstigen Geschützbastionen fehlt praktisch jede Spur. Die Rohre waren wohl gegen Osten gerichtet, als Verbündete der Grafen von Katzenelnbogen befand sich für die Burgherren der Gegner auf der Feste Reichenberg, eben jene Erbacher Grafen, die schon bis zur Bergstraße vorgedrungen waren. . .

Noch schwungvoller ist dann die Fahrt auf der ebenso schmalen Straße nach Fränkisch-Crumbach durch eine reizvolle Wiesenlandschaft. In der Ortsmitte steht die gesuchte Grabkirche der Rodensteiner. Der Turm mit den gotischen Fenstern ist für das Zeitalter ein wenig wuchtig ausgefallen, weil eben die Mauern der romanischen Vorgängerin einfach mit einbezogen wurden. Im Inneren des Gotteshauses befinden sich die Grabdenkmäler des Geschlechts. Eine meisterliche Darstellung des Rittertums (Abb. 75) bildet der

Zenotaph des Junkers Hans von Rodenstein (gest. 1500 in Rom): Herber Stolz und eine furchtlose Entschlossenheit zeichnen das wahrhaft männliche Gesicht des Junkers aus (mittelrheinische Arbeit).

Leicht wird das Rodensteiner Schloß (1645) hinter der kleinen Kirche übersehen, da es über eine eigene Einfahrt verfügt, die durch einen Park weitgehend verdeckt wird. Der schlichte, aber sehr ansprechende Bau (Frühbarock) wird von den nachfolgenden Freiherren von Gemmingen im 18. Jahrhundert baulich etwas verändert. Die Grafen von Katzenelnbogen haben es verstanden, ihr Land abzusichern! Es dauert nur wenige Minuten, bis das Schloß Lichtenberg auftaucht, das dank seiner beherrschenden Lage gar nicht zu übersehen ist.

Wie in Darmstadt lassen die Landgrafen von Hessen die einstige Feste ihrer Vorgänger von dem Baumeister Jakob Kesselhuth in eine herrschaftliche Renaissance-Anlage umbauen (1570–1581), es wird daraus ein dreiflügeliger Bau in Hufeisenform, der die ganze Höhe einnimmt. Der Außenschmuck beschränkt sich auf zwei Schneckengiebel, jeweils in strenger Symmetrie den Einzelflügel überragend. Sie wirken besonders aus der Entfernung und lassen dann die Fronten noch stattlicher und stolzer aussehen (Abb. 76). Das Schloß kann außen umgangen werden; im Westen befindet sich eine der seltenen barocken Gartenlauben aus Holz, die über eine malerisch überdachte Treppe zu erreichen ist. Die Vorburg liegt tiefer, der Marstall stammt noch aus dem gotischen Zeitalter und ist mit Dachreitern übersät. Die Zehntscheuer daneben ist im 16. Jahrhundert dazugekommen. Besonders baulich gelungen schiebt sich das Torhaus mit einem stolzen Giebel nach Westen, die Einfahrt erfolgt durch einen in Fels gehauenen Tunnel, bei der Durchfahrt bleibt auf beiden Seiten nicht viel Platz übrig!

In Lichtenberg waren die Landgrafen zu finden, wenn Gefahr drohte oder eine Seuche, wie etwa die Pest, erneut ausgebrochen war. Mitten im Ort steht noch ein gewaltiger Batterieturm, das sog. Bollwerk (um 1500), dem seine einstige Gefährlichkeit noch heute anzusehen ist.

Über Brensbach und Lengenfeld wird Groß-Umstadt zügig erreicht. Auch hier zeigt sich, wie weit zurück sich die Vergangenheit an den Rändern des Odenwaldes verfolgen läßt. So hat Pippin der Jüngere, Großvater von Karl dem Großen, die »villa Autmundisstatt« am 11. 2. 766 dem Kloster Fulda geschenkt! Römische Funde weisen darauf hin, daß bereits zu ihrer Zeit hier Wehrsiedlungen bestanden.

Die Stadt muß im Laufe ihrer Geschichte etlichen Herren dienen. Die Grafen von Hanau nehmen dem Kloster Fulda zunächst die Hälfte des Gemeinwesens ab, 1390 geht die fuldische Hälfte an die Kurpfalz über. 1521 übernehmen die Landgrafen von Hessen den Hanauer Anteil, 1803 werden diese schließlich Alleinbesitzer der Stadt. . .

Der riesige Marktplatz mit Brunnen unterstreicht die einstige Bedeutung der Stadt, die auch wegen ihres Weines sehr begehrt war. Ähnliches ist von der evangelischen Stadtkirche zu sagen, in der sich zahlreiche Grabdenkmäler des Adels befinden, während im Kirchhof ebenfalls über etliche Jahrhunderte hinweg Grabplatten der bürgerlichen Familien zu entdecken sind. Der mächtige, gedrungene Turm des Gotteshauses verrät seine frühe Herkunft aus dem 13. Jahrhundert. Das stolze Renaissance-Rathaus fällt durch seine zahlreichen Volutengiebel auf und unterstreicht den städtischen Charakter des Ortes (Abb. 81).

Über die Schloßpassage erreicht man vom Marktplatz aus das Wamboldtschloß, eine hübsche und feine Dreiflügelanlage (Renaissance), die sich hinter einer größeren Gruppe von Bäumen verbirgt (Abb. 80). Die einstigen Herren der Stadt haben etliche Residenzen hinterlassen. Ihrer Bedeutung entsprechend, stehen an Größe und Ausstattung das Pfälzer- und Darmstädter Schloß allen anderen voran.

Schon auf der Fahrt nach Groß-Umstadt ist aus einiger Entfernung die Feste Otzberg – auf einem mächtigen Gebirgskegel aus Basalt – bemerkt worden (Abb. 79). Man kann nah an das Eingangstor heranfahren. Eine tiefe Umfassungsmauer führt um den ganzen Kegel und endet in einem zusätzlichen Burggraben. Da hat es wohl lange kaum ein Hinaufkommen gegeben. Es wundert dann nicht, wenn man erfährt, daß Kurfürst Ludwig V. von der Pfalz damals den Bau der Festung in die Hand genommen hat.

Zunächst war Otzberg über Jahrhunderte die westliche Bastion des Klosters Fulda, ihre Lehensträger und örtlichen Verteidiger das Geschlecht der Gansen von Otzberg, die auch auf Schloß Nauses zu finden sind. Von der mittelalterlichen Burg steht nur noch der Bergfried, ein mächtiger Rundturm (13. Jahrhundert) von einer Mauerdicke bis zu 4 m! Er wird landauf, landab nur »Weiße Rübe« genannt und ist heute noch nur auf steilen Holzleitern zu ersteigen. Aber welcher Rundblick! Von hier aus kann man beobachten, wie der Odenwald nach Norden in flache Kuppen ausläuft und im Südosten ständig an Höhe gewinnt.

1390 geht Otzberg in kurpfälzischen Besitz über, wird aber erst im 16. Jahrhundert als Festung ausgebaut. Ein äußerer Wall kommt hinzu, Maul-

und Schlüsselscharten sichern den oberen Wehrgang, der Brunnenschacht erreicht in 80 m Tiefe die Bergsohle! Mehrere hundert Mann können zur Verteidigung herangezogen werden. Geschütze stehen hinter dem Wall und oben hinter den Wehrmauern. Aber nur knapp hundert Jahre reicht dieser ungewöhnliche Schutz aus. Die Feuerkraft der Angreifer hat dann so zugenommen, daß Marschall Tilly nach mehreren vergeblichen Anstürmen eine Bresche schlagen und in einem erbarmungslosen Nahkampf dann doch von Westen her eindringen kann. Dem Kommandanten bleibt nichts anderes übrig, als die Burg zu übergeben, weil das Plateau zu klein ist, um auszuweichen. Schließlich besteht dann wie auch in Lindenfels die Besatzung nur noch aus ausgedienten Invaliden. Der Otzberg ist nie geschleift, sondern nur beschädigt worden. Nach 1825 wandert einiges von seinen Mauern als Baumaterial in das umliegende Land.

Später wird die Feste wie auch Breuberg zu einem beliebten Treffpunkt des »Wandervogels«, weil ihm die eine wie die andere als ein Bollwerk des Widerstandes gegen die Wirren der Zeit erschienen sein mag.

Schloß Nauses begegnet uns auf dem Weg nach Höchst. Es handelt sich um einen ausgesprochen ländlichen Herrensitz, letztlich um einen ehemals befestigten Edelhof aus Fachwerk, der sich gerade noch erkerähnliche Anbauten leisten kann (15. Jahrhundert). Bescheiden und ganz für sich allein steht der Fachwerkturm im Hof.

Höchst ist ein altes fuldisches Verwaltungszentrum gewesen, das erst spät in Erbacher Hand übergeht. Das ehemalige Benediktinerinnenkloster hat längst ein neues Kleid erhalten und ist darüber praktisch verschwunden, wenn man von dem

Turm absieht. Etliche Grabplatten haben sich glücklicherweise erhalten. Man findet in der weichen Linienführung der Frühgotik die in Stein geritzten Umrisse des Dekans Grafloh (1336) und der Äbtissin Ida von Erbach (gest. 1335).

In der Pfarrkirche in Sandbach an der Mümling befindet sich ein bemerkenswerter Grabstein des Grafen Michael II. von Wertheim (gest. 1556), den man eigentlich gesehen haben muß. Es ist dem Bildhauer Peter Doll aus Würzburg mit großem Einfühlungsvermögen gelungen, einen Hauch von ritterlicher Eleganz und biegsamer Feingliedrigkeit des Adeligen, umgeben von den Emblemen des Geschlechts, festzuhalten.

Mit der Festung Breuberg ist der nördlichste Teil unserer Wanderung an der Mümling erreicht (Abb. 82). Breuberg hat das Aussehen einer mächtigen Burg schlechthin: gewaltige Außenmauern als schweres Hindernis für jeden Angreifer, eine winklige Vorburg und Batterietürme, die den Kern der Anlage und die bedrohten Flanken zu schützen hatten. Von dem stolzen Zeughaus stehen nur noch die Einlaßmauern. Der Steinmetz hat es sich hier nicht nehmen lassen, sich unter dem Standbild eines Armbrustschützen ein Denkmal zu setzen: »Hans Stainmiller macht mich. . .«

Die Kernburg im Osten ist relativ klein, ein mächtiger viereckiger Bergfried mit hochgelegener Eingangspforte (um 1200) steht im Burghof. Am Torhaus befindet sich ein stilistisch hervorragendes Säulenportal in klarer staufischer Gliederung, das oben von einem Rundbogenfries abgegrenzt wird.

Wertvolle Stuckarbeiten schmücken die Decke des Erbacher Rittersaals. Es lohnt sich, die Feste auf ihrem äußeren Wall zu umwandern. Wie breit

der Graben ausgefallen ist! Wie Vogelnester lehnen sich die Häuser der Kernburg an die Zwingmauern. Im Osten steht ein Batterieturm frei im Graben. Das Schicksal schmählicher Vernichtung ist der Feste Breuberg – trotz des Durchzugs französischer Heere – erspart geblieben.

Im Tal der Mümling

Im Mümlingtal kommt bald eine besinnliche Stimmung auf. Die Gebirgsrücken ziehen ruhig und langgestreckt zu beiden Seiten dahin, ohne ihre Richtung ernsthaft zu wechseln und ohne jene Vielzahl von Kuppen wie im vorderen Odenwald. Die Mümling ist auch das Tal der Schenken und späteren Grafen von Erbach, die an wichtigen Plätzen ansehnliche Besitze errichten. Das Geschlecht hat sich seit dem ersten geschichtlichen Auftreten, gegen Mitte des 12. Jahrhunderts, bis zum heutigen Tag im Mannesstamm erhalten!

In Bad König stoßen wir auf ihre erste Schloßanlage, die sich inmitten des Kurgeländes befindet. Der einfache große Bau gefällt durch seine dezente Fassadenmalerei. Das Städtchen hat in den letzten Jahrzehnten einen gewaltigen Sprung nach vorne gemacht. Die örtlichen Stahlquellen haben viel dazu beigetragen, sicherlich aber auch die günstigen klimatischen Bedingungen in einer geschützten Bucht des Mümlingtals.

Der Weg nach Schloß Fürstenau ist beschildert und nicht zu verfehlen. Mit der Residenz haben die Erbacher Grafen ihr bauliches Geschick für eine herrschaftliche Anlage mehr als bewiesen. Welch festlicher Empfang! In den schönsten ländlichen Formen der Renaissance erhebt sich neben der Schloßeinfahrt die alte Schloßmühle (Ende des 16. Jahrhunderts), die durch den Bau der Straße an Höhe verloren hat, ebenso der reizende benachbarte Gartenpavillon mit feinsten schmiedeeisernen Gittern um den Balkon (1756). Es überrascht zu erfahren, daß in seinem Obergeschoß zeitweilig das Hoftheater untergebracht war. Wirtschaftsgebäude und innere Vorburg begrenzen in offenem Halboval den riesigen Schloßhof. Als erster größerer Bau kommt die alte Beschließerei der inneren Vorburg in den Blick. Sie ist in schlichten Formen der Renaissance gehalten, leistet sich aber immerhin einen kleineren Mittelgiebel.

Dann stehen wir vor dem Alten Schloß, eine dreiflügelige, ansprechende Anlage, die an ihren Ekken jeweils durch einen hohen Turm begrenzt wird. Ihre geschichtliche Entwicklung soll wenigstens kurz gestreift werden.

So wird das ursprüngliche Erbacher Gebiet von dem Mainzer Erzstift, ohne lange zu fragen, aus Gründen einer strategischen Absicherung gegen Kurpfalz in Besitz genommen und eine Wasserburg errichtet (um 1300). Es bleibt bis 1454 Sitz eines Mainzer Amtes, das Stift muß freilich auf Druck der Heidelberger Kurfürsten die Schenken als Burgmänner einlassen, obwohl schon 1355 eine käufliche Abtretung an die Grafen erfolgt ist!

Die Schenken lassen sich dann Zeit bei dem Umbau ihres Landsitzes. Die Türme werden belassen, nur der Rote Turm im Südosten erfährt eine Erneuerung mit Bekrönung und Rundgang. Trauliche Harmonie, ein malerischer Winkel schlechthin ist ihnen dabei gelungen. Voll Bewunderung betrachtet man die Gebäude im Innenhof, die im Nordosten durch einen Treppenturm miteinander verbunden sind. Ein großer Erker belebt den Abschluß nach Westen.

Der befestigte Eingang ist damals abgerissen worden. An seine Stelle tritt einer der schönsten Renaissance-Schwibbogen unseres Landes, der die beiden Außenflügel miteinander in Verbindung bringt. Maßwerkarbeiten zieren den Übergang (Abb. 84). Schloß Fürstenau ist damit zum Schmuckstück des Erbacher Hauses geworden.

Das Neue Palais erfährt eine schlichte klassizistische Ausführung (1810) und bildet die Westseite der Anlage. Der südliche Altan entsteht aus einem umgebauten Turm älteren Datums. Sehr feine schmiedeeiserne Arbeiten beleben die Fronten des Neuen Schlosses.

Einige hundert Meter weiter befindet sich die Einhardbasilika (Abb. 85). Mittelschiff und Apsis sowie der nördliche Chor und die Krypta stammen noch aus der karolingischen Zeit! Sie wurde noch unter der Leitung von Einhard begonnen (um 826), einem Ratgeber Karls des Großen, der später nach Seligenstadt weiterzieht. Er überträgt seinen Besitz einschließlich Michelstadt dem Kloster Lorsch. Die Reichsabtei baut die Anlage zunächst zu einer Probstei aus.

Glückliche Umstände haben uns das schlichte Gotteshaus erhalten, in dem einige Zeit Jagdgeräte des Erbacher Hauses gelagert wurden. Es gibt in deutschen Landen kein vergleichbares Gotteshaus aus dieser Zeit!

Michelstadt empfängt den Besucher auf der Mümlingstraße in großzügig-moderner Weise, Fahnen flattern an den Masten, wenn hier im Mai der berühmte »Bienenmarkt« abgehalten wird. Den Gast drängt es natürlich zur Stadtmitte.

Die fränkische Siedlung wird bereits vom Kloster Lorsch durch Mauern geschützt, schon früh ist daher von einem »Kastell« die Rede. Als Vögte der Probstei nehmen die Schenken von Erbach ihren

Sitz in Michelstadt, der sich langsam zu einer Burg entwickelt. Pfalzgraf Ludwig sah im Streit mit Mainz hier eine Bedrohung von Osten her und zerstörte Burg und Stadt in einem grimmig geführten Feldzug (1307).

Später erscheint es den Heidelbergern doch ratsamer, die Schenken unter ihre Lehenshoheit zu stellen, wobei diesen auch Michelstadt wieder zufällt, allerdings mit der Auflage, hier keine Feste mehr zu errichten. Das Erbacher Haus hat sich über Jahrhunderte hinweg strikt daran gehalten.

Welch ein Marktplatz! Selten wird die Verbundenheit der mittelalterlichen Gewalten so sichtbar wie hier in Michelstadt. Weltliche und kirchliche Obrigkeit waren nur wenige Meter voneinander entfernt. Die Baulinien sind heute noch aufeinander abgestimmt. Man blicke nur genauer hin! Vom Platz aus gesehen, folgen die Türmchen des Rathauses dem Anstieg des gedrungenen Kirchturms, der gegenüber den Schiffen des Gotteshauses überaus mächtig geraten ist. Er steht schon ungewöhnlich genug an der Südseite des Chors. Das Fachwerk des Rathauses ist in allen Teilen ausgewogen, die Mitte auch in den Fluchten des Gebälks gewahrt. Mit seinen Erkertürmchen gelangt Feingegliedertes in die Schauseite des Gebäudes, wie es im Spätgotischen gerne geschieht. Urspünglich war das schöne Rathaus im Erdgeschoß nach allen Seiten offen. Hier wurde Gericht und bei schlechtem Wetter Markt gehalten. Die Halle diente auch als Versammlungsort der Bürger (Abb. 91).

Die spätgotische evangelische Stadtkirche schließt den Marktplatz nach Nordosten in einem festlichen Rahmen ab. Es ist das dritte Gotteshaus an dieser Stelle. Der Chor weist ein feines Sterngewölbe auf. Die Familiengruft des Hauses Erbach befindet sich an der Nordseite des Chors, ist aber nicht mehr zugänglich. Im Chor selbst finden sich lebensgroße Darstellungen der Grafen, u. a. auch wertvolle Alabasterarbeiten von Michel Kern aus Forchtenberg (Graf Georg III., gest. 1605). Als das schmale Treppentürmchen im Westen nach oben gezogen wurde, war der Plan endgültig aufgegeben, hier einmal einen stattlichen Abschlußturm zu errichten. Beim Rundgang durch die Stadt ist unschwer zu bemerken, daß die mittelalterliche Ummauerung in einem mehr breiten Oval erfolgt sein muß.

Erhaltene Teile der Stadtmauer bestätigen dann diese Vermutung. Michelstadt hat zweifellos Nutzen daraus gezogen, daß kein neuer Herrensitz errichtet werden darf. Neue, massivere Mauern schützen bald die Stadt noch besser vor Überfällen. Es ist in den Straßen und Gassen durchaus zu spüren, daß baulich ein städtisches Element das Aussehen des Ortes mehr und mehr bestimmt. Stolze Häuserfronten mit einem Untergeschoß aus Stein finden sich hier wie dort, während sich nach oben schmuckreiche Varianten des Fachwerks ausbreiten. Die freigelegten, ehemals verputzten Fassaden haben diesen Eindruck nur noch abgerundet. Der städtische Anspruch deutet sich noch auf andere Weise an: Den Marktbrunnen schmückt nicht nur das Wappen des Landesherrn, sondern auch jenes von Michelstadt. Am Marktplatz haben die Hausherren auch später einiges Besondere aufbieten müssen. So weist der elegante Rokokobau des ehemaligen Gasthauses »Zum Löwen« einen hübschen und repräsentativen Balkon mit schönen schmiedeeisernen Gittern auf. An der Südseite kann dem Besucher das Wirtshausschild »Zu den drei Hasen« eigentlich nicht entgehen: Drei Hasen bringen es hier fertig, je ein Ohr in die Mitte des Schildes zu delegieren.

Der Weihnachtsmarkt beherrscht den ganzen alten Stadtkern, Stände sind auch im Hof der Kellerei zu finden (Abb. 90). Der malerische Hintergrund und das bunte Treiben lassen Erinnerungen an alte Zeiten aufkommen. Eine Synagoge (1791) lehnt sich in schlichten Formen an die Stadtmauer. Sie ist ein Hinweis mehr, daß Michelstadt schon früh ein lebhafter Handelsplatz gewesen sein muß.

Die Kellerei zeigt wiederum an, daß sich die regierende Macht mit Vorliebe am alten Platz des Vorgängers niederließ. Einst hat sich hier ein fränkischer Königshof befunden. Frühmittelalterliche Mauerreste im Nordteil (»Storchenwinkel«) erinnern daran, daß Abt Gerbodo aus Lorsch (951–972) und seine Nachfolger häufig in Michelstadt residierten. Von der Burg der Schenken von Erbach ist praktisch nichts übriggeblieben. Ihre große Kellerei bekundet aber eindeutig, welche Bedeutung sie dem Michelstädter Amtshaus beimaßen.

Die Kellerei besteht aus mehreren stattlichen Gebäuden, ihr Westflügel bildet ein großes Speicherhaus mit überdachter doppelläufiger Freitreppe und einer Laube im Innenhof (1539). Die Südgruppe enthält spätgotische Anteile (Fachwerk), während im Untergeschoß Teile einer älteren Anlage (14. Jahrhundert) verbaut worden sind und den Flügel langgestreckt erscheinen lassen. Durch das Tor am Diebsturm erreicht man den Stadtgraben, der zu einer freundlichen Grünanlage umgestaltet worden ist.

Welch malerischer Ausblick! Die Häuser sind an der Stadtmauer dicht zusammengerückt, ein Staffelgiebel der Kellerei überragt weit die Mauer. Es folgen zerzaust wirkende altertümliche Fronten, ein hübscher Erker darf dabei nicht fehlen (Abb. 89).

Den englischen Park von Eulbach sollte man sich nicht entgehen lassen, wurde er doch von Friedrich von Sckell (1802) angelegt, der sich auch in Schwetzingen und München einen Namen machte. Der große Teich mit den Seerosen läßt Verträumtes und Verwunschenes aufkommen (Abb. 93). Beachtliche Tiergehege folgen hintereinander, das Schwarzwild kann sogar gefüttert werden! Attraktion des Parkes bleiben natürlich die Wisente, die genügend Auslauf erhalten. Das zweigeschossige hübsche Jagdschloß auf der anderen Seite der Straße (1770) wird von der Familie der Grafen Erbach-Erbach bewohnt und ist daher nicht zu besichtigen. Graf Franz I., auf den die gräflichen Sammlungen in Erbach zurückgehen, ließ im Park einen Obelisken und ein Kastelltor aus römischen Steinen einer benachbarten Limesanlage errichten.

Noch ganz anderes wird geboten! Einer der schönsten Wanderwege führt durch den Wildpark von Eulbach nach Weiten-Gesäß. Man hat den Odenwald dann tatsächlich ganz für sich allein, auch seine Höhen, es fehlt nicht an Rotwild und die Sonne kann fast überall hineinscheinen. Ein Sprung ist es dann nur noch bis zu den Resten des Kastells Hainhaus bei Vielbrunn (Abb. 83). Die hier aufgestellten Steinsessel sind allerdings erst im 16. Jahrhundert dazugekommen (Abb. 83).

Wer sich für den Limes interessiert, findet südlich von Eulbach hinter dem Dorf Würzberg Reste eines Römerbades en miniature, Auskleideraum (apodyterium), Sauna (sudatorium) und Heißwasserbecken (vasarium). Eine Fußbodenheizung (hypokaustum) darf natürlich ebenfalls nicht fehlen.

Zurück zur Mümling! Man sieht es schon oben von der Landstraße aus: Erbach ist eine Residenzstadt. Der hohe und runde Bergfried (um 1200) überragt einsam alle Häuser. Dann wird auch schon der riesige Schloßplatz und das stolze barocke Schloß mit Freuden wahrgenommen, das fast eine ganze Front des Platzes einnimmt. Eine großzügige Einteilung zeichnet das Innere der Residenz aus (Abb. 94). Rentkammer und Damenbau, beide 1893 abgebrannt, wurden nach alten Plänen neu errichtet. Ein besonders malerischer Teil der Anlage ist der sog. Altbau (1550), ein langgezogenes Fachwerkhaus mit auffallend welligen Linien der Gesimse. Sie entstanden im Laufe der Jahrhunderte durch Senkungen des Bodens, grenzt doch der Ostteil des Gebäudes an die Mümling.

Beim Gang durch die berühmten gräflichen Sammlungen sieht man eigentlich alles, was mit der Jagd zu tun hat, auch die dazugehörenden Waffen der jeweiligen Jahrhunderte. Im Rittersaal findet sich der berühmte sog. Ortenburger Sattel, eine Mailänder Arbeit mit Szenen von Reiterschlachten in Eisen(!) geschlagen.

Höhepunkt der Sammlungen bilden die »römischen Zimmer«, die einen erstaunlichen antiken Schatz beherbergen. Graf Franz I. von Erbach hat ihn gegen Ende des 18. Jahrhunderts aus Italien mitgebracht.

Der griechische Athletenkopf stammt noch aus der ersten großen Schaffensperiode der Antike! Leicht fühlen sich die griechischen Vasen an, weil sie aus erstaunlich dünnen Wänden bestehen.

Viel Platz hat man dem Rathaus wirklich nicht gelassen (Renaissance, 1535), das zum Schloßplatz einen Schnecken- und zum »Städtel« einen Staffelgiebel aufweist.

Das Städtel ist nichts anderes als die eigentliche Altstadt von Erbach. Es sind zuletzt 13 Burgmannensitze gewesen, die bis zur Mümling malerisch dahinziehen, darunter auch das große Haus des Peter Echter mit seinem prächtigen Wappen (1545), dem Vater des berühmten Fürstbischofs Julius Echter von Würzburg. Das sog. Templerhaus mit seinem düsteren Stufengiebel (14. Jahrhundert) war einst Sitz des Burggrafen. Den Abschluß des Städtel bildet dann die »Habermannsburg« (um 1515, 1860 erneuert). Das Städtel sorgt wiederum dafür, daß an der Ostseite zur Mümling altertümliches Mauerwerk bis an den Fluß herantritt (Abb. 95).

Graf Franz I. führte 1783 die Elfenbeinschnitzerei ein, die sich in Erbach und Umgebung rasch ausbreitete und indessen Weltruf erlangt hat. In Erbach befindet sich die einzige deutsche Fachschule dieses Berufes. Im Elfenbeinmuseum sind wertvolle und umfangreiche Arbeiten zu sehen, die z. T. auch von auswärts kommen. Wer es noch nicht wissen sollte: Der Schloßplatz war ehemals ein stattlicher Park bzw. Lustgarten und das Schloßcafé die dazugehörige Orangerie. Daher die riesige Ausdehnung!

Auf der Siegfriedstraße geht es jetzt in Richtung Süden. Der weitgespannte Viadukt »Himbächel« hilft der einzigen Eisenbahnstrecke des Odenwaldes landeinwärts weiter. Bei der abgelegenen Lage eine beachtliche Leistung! Nur wenige Kilometer von Marbach entfernt befindet sich ein größerer Stausee, angelegt zur Regulierung der Wasserversorgung.

Auf der Wasserscheide zwischen Gammelsbach und Mümling liegt der Luftkurort und das Fachwerkstädtchen Beerfelden.

Die eingefaßte Mümlingquelle, der gut gelungene »Zwölfröhrenbrunnen« (Abb. 96), ist in einer Abbildung des Bandes festgehalten. Zu dem berühmten Galgen (1597) führt nicht nur eigens eine

Straße hinauf, der Fahrer findet oben sogar einen Parkplatz (Abb. 96).

Vor wenigen Jahrzehnten befanden sich am dreischläfrigen Galgen nur wildes Gestrüpp und Brombeerhecken sowie Reihen von Stellsteinen, welche die Richtstätte begrenzten. Um den Ort herrschte noch eine Atmosphäre des Unheimlichen und Verlorenen. Hier oben hat ein Menschenleben in alten Zeiten nicht viel gegolten. Als letzte Verurteilte wird 1804 eine Zigeunerin hingerichtet, weil sie ein Huhn und zwei Laib Brot gestohlen hatte. 1797 ist es dagegen einem Bauern gelungen, unversehrt der Gerichtsstätte zu entrinnen. Sein großer Kropf war sein Glück! Als der Henker das Seil anzog, schob der Kropf des um Atem ringenden Mannes den Strick über das Kinn. Statt zu baumeln, landete der Bauer im weichen Gras. Die anwesenden Richter konnten nicht umhin, das Ereignis als Gottesurteil anzuerkennen. Das alte Sprichwort »so unnötig wie ein Kropf« hat nicht immer seine Gültigkeit, wie dieser Vorfall beweist.

Das Gammelsbachtal zählt zu den schönsten Tälern des Odenwaldes, im Spätjahr ganz verschwenderisch in seinen herbstlichen Farben. Wie die Straße lustig dahinschlingert!

So richtig tückisch ist die Burgruine Freienstein gelegen, leicht zu übersehen und dennoch an einem Standort, der das Tal weitgehend beherrscht. Man muß schon aufmerksam hinaufblicken, um an der Südwestecke die Erker zu entdecken.

Dann heißt es auch schon nach Rothenberg aufbrechen. Auf der Höhe hat man einen der schönsten Fernblicke des Odenwaldes (Abb. Titelbild). Nach Westen kommen weite Teile des vorderen Odenwaldes in Sicht, vom Taubenberg über die Stiefelhöhe bis zum Adlerstein. Im Osten ist die Gebirgsgruppe um den Katzenbuckel leicht auszumachen, die höchste Erhebung des Odenwaldes (628 m), eine beliebte Wintersportregion, wo es neben den Loipen usw. sogar eine Sprungschanze und eine Bahn für Eisstockschützen gibt.

Hier oben läßt es sich angenehm wandern und mühelos umherstreifen! Die Wälder sind lockerer und durchlässiger geworden, der Jungwuchs an ihren Rändern bildet einen Saum hellleren Grüns. Manche Wege sollen vom 15. 9. bis 15. 10. wegen der Hirschbrunst nicht begangen werden. Zwei große Oasen einer Wiesenlandschaft liegen dazwischen, bei Kortelshütte ist daraus sogar ein Segelflughafen geworden. Im Winter sind hier oben Skiläufer unterwegs.

Kortelshütte liegt malerisch an einem Steilhang. Die Straße stürzt sich geradezu hinunter, und dann heißt es auch schon, sich in Serpentinen abwärts winden. Das Finkenbachtal gehört zu den besonders beliebten Tälern des Odenwaldes, von Falkengesäß aus, das allerdings talaufwärts liegt, ist der westliche Teil des Mittelgebirges hervorragend zu übersehen.

Den Besucher zieht es nach Süden, genauer gesagt an den Neckar. Nun muß aufgepaßt werden, um das Schild zum Hirschhorner Schloß nicht zu verpassen, denn von der Schloßterrasse aus wird dem Besucher viel geboten: ein weiter Ausblick über die jetzt mehr langgezogenen Bergrücken des Neckartals und die verwegene Schleife des Flusses im Osten, die hier einen richtigen Umlauf bildet. Zum anderen ein einmaliger Blick auf das Städtchen selbst mit seinen alten Wehrmauern, die von hier oben aus herunterziehen und Hirschhorn durch eine zusätzliche Stadtmauer am Ufer fest und wie für immer an sich binden. Die vorgekragten Häuser dieser Ufersicherung bilden eine malerische Kette von Dächern und Giebeln, und sind allesamt noch bewohnt. Nicht zu vergessen: Man kann auf der Terrasse bequem Platz nehmen und in aller Gemütsruhe bei dem herrlichen Ausblick einen Kaffee trinken. Das Schloß ist bewirtschaftet, und in das Renaissance-Palais (1583/86) ist sogar ein Hotel eingezogen. Auf der anderen Neckarseite liegt Ersheim, 773 erstmals genannt; die Friedhofskapelle ist allerdings erst weit im 14.–15. Jahrhundert (gotisch) entstanden. Hervorzuheben ist die schlanke Totenleuchte (1412) in der Nähe, auch Elendstein genannt.

Schloß Hirschhorn: welch erstaunlich große Feste! Übersichtlich und bedacht ist alles angelegt, angefangen von der Kernburg mit quadratisch schlankem Bergfried, einer Schildmauer gegen den Berg, dahinter der Palas, der im 16. Jahrhundert in ein Renaissance-Palais umgebaut worden ist. Der Halsgraben unter der Schildmauer ist zugeschüttet und eine ausgedehnte planierte Parkanlage geworden. Nach Westen dehnt sich die innere Vorburg aus, verstärkt durch einen Eckturm, an den sich ein kleiner Treppenturm anlehnt, so überlegt ist man auch im einzelnen in Hirschhorn vorgegangen. Die äußere Vorburg führt zu dem Grat zwischen Neckar- und Finkenbachtal, ein Torturm mit Fachwerk liegt dazwischen, Wirtschaftsgebäude sind eingeschoben, ein hoher Rundturm sichert den Abgang der Mauern in das Städtchen. Nicht genug damit! Unterhalb des Schlosses befinden sich auf halber Höhe die spätgotische Karmeliterkirche und das dazugehörige Klostergebäude. Wer das seltene Glück hat, einer Schloßbeleuchtung beizuwohnen, sieht dann diese lange Kette von Verteidigungsanlagen rot angestrahlt bis zum Ort herunterziehen, während das Städtchen selbst sich nur schemenhaft abzeichnet.

Wir ziehen es vor, der Uferstraße zu folgen, um die entzückenden Häuschen an der Stadtmauer auch von unten zu betrachten. Neuerdings gibt es eine direkte Verbindung nach Eberbach durch einen langen Bergtunnel, die aber schon vor Hirschhorn abgeht. Der Umlauf des Neckars wird am Steuer über eine längere Strecke als ständiger Zug nach rechts durchaus wahrgenommen, an ein Überholen ist hier nicht zu denken.

Über Amorbach zum Main

Eberbach begrüßt den Besucher mit einem prächtigen Kurpark auf der linken Straßenseite, dem sich bald das Kurhaus anschließt. Teile der alten Stadtmauer folgen. Vier stolze Türme markieren die mittelalterlichen Stadtgrenzen (Abb. 98). Mitunter erinnert ein Wirtshausname an die frühere Bestimmung eines Gebäudes, so ist das »Badhaus« im malerischen Übergang zum Hauptgebäude am Lindenplatz eine Zierde des Fachwerkbaus. Schon früh erhält Eberbach durch König Heinrich VII. Rechte einer Freien Reichsstadt verliehen (1237). Die Pfalzgrafen bei Rhein sorgen allerdings dafür, daß es damit bald ein Ende nimmt und der Ort in ihren Machtbereich gelangt. In Notzeiten, auch während der grassierenden Pest, wird die Heidelberger Universität nach Eberbach verlegt. Im Stadtkern sind noch zahlreiche, z. T. stilistisch hochwertige Fachwerkbauten zu bewundern. Reste einer wichtigen Stauferburg, die genauer betrachtet aus drei ehemaligen Einzelfesten besteht, haben sich über dem Kurort erhalten.

Nun folgen wir der Straße nach Amorbach. Im Ittertal wird Holzwirtschaft betrieben, Sägewerke fehlen nicht. Es heißt etlichen Windungen des Baches zu folgen, die Straße führt uns mehr und mehr in den östlichen bzw. hinteren Odenwald. Nadelhölzer treten hervor, nur gelegentlich schiebt sich ein Mischwald dazwischen. Die Besiedlung ist sichtlich dünner geworden. So dauert es eine geraume Weile, bis Friedrichsdorf erreicht ist. Von der Siegfriedstraße aus geht es dann zur Kammhöhe (460 m) vor Ernsttal über einige doch recht spitze Serpentinen. Hier oben kreuzt der römische Limes die Straße, fast parallel dazu verläuft der Verkehrsweg von Hesselbach nach Mudau. Damit ist Gelegenheit geboten, einen kleinen Abstecher zu dem Kohortenkastell bei Oberscheidental zu unternehmen, von dem sich Reste der »Porta dextra« erhalten haben. Es lohnt durchaus, von Ernsttal zum Schloß Waldleiningen abzubiegen. Es ist schlechthin eine Residenz, wie sie das letzte Jahrhundert zu bauen liebte: langgestreckt, der Landschaft hervorragend angepaßt, mit etlichen Türmen und Staffelgiebeln, die vielgeschätzte Vergangenheit in einer zeitgenössischen Version locker zusammengefaßt. In dieser gelungenen Form sollte man sie sich eigentlich nicht entgehen lassen.

Man muß in Kirchzell schon sehr genau darauf achten, um das kleine bildhübsche Fachwerk-Rathaus rechtzeitig zu bemerken, das ein wenig zurückgesetzt auf der linken Straßenseite steht. Die Äbte des Klosters Amorbach haben sich jeweils nach hier geflüchtet, wenn es in der Abtei rumorte und sie sich bedroht fühlten.

Kurz nach Buch nehme man die Straße über eine kleine Brücke, die nahe an die Burg Wildenberg heranführt. Auch noch als Ruine vermittelt die Feste eine glanzvolle staufische Baukultur und den hohen Stand der damaligen Verteidigungskunst. Man betrachte nur die Schildmauer im Süden, den dahinter übereck gestellten Bergfried,

dem wiederum ein mächtiger Zwinger voransteht. Die Linien der Abwehr überschneiden sich für den Angreifer hier in beängstigender Weise, jedes Hindernis will einzeln genommen sein. Die Verteidiger haben Gelegenheit, aus verschiedenen Winkeln ihre Geschosse einzusetzen. Später wird im Süden sogar noch eine Vorburg angegliedert.

Der Palas befindet sich im Nordosten, zweigeschossig, mit schmucklosen romanischen Fenstern im Erdgeschoß. Sie sind klein und schmal, um keine Gelegenheit zum Durchschlüpfen zu geben. Oben macht sich dagegen an den großen Fenstern die staufische Prachtentfaltung in frühgotischen Formen bemerkbar (Abb. 99), mit einem Kapitell, das vieles andere seiner Zeit weit hinter sich läßt.

Hier haben die Herren von Dürn (Durne) residiert und sind mit dem Kloster Amorbach nicht gerade zimperlich umgegangen. Am großen Kamin mögen sie mit Wolfram von Eschenbach an kühlen Abenden in angeregtem Gespräch gesessen haben.

Die Ministerialen schienen über ein besonderes Gespür für das Aufkommen der Territorialmächte zu verfügen, denn sie verkauften früh und ohne Not die große Anlage an das Erzstift von Mainz (1271), um sich nach ihrem Kerngebiet bei Buchen und Walldürn zurückzuziehen. Burg Wildenberg gehörte im Bauernkrieg zu den ersten Festen, die in wildem Kampf gestürmt und in Brand gesetzt wurden.

Amorbach versteht zu empfangen. Von weitem grüßen im Mudbachtal die Türme der Klosterkirche. Von Westen her gesehen streben die langgezogenen Klosterfronten in trautem Miteinander durch das Tal (Abb. 100).

Welch einzigartige Einfahrt in den Ort! Der Schloßplatz wird nach Osten von der Schauseite des Abteigebäudes eingesäumt. Am Nachmittag fallen die steilen Schatten der Klostermühle (1448) in munteren Stufen auf das alte Pflaster des Platzes, weil das stattliche Gebäude zu beiden Seiten einen großen Staffelgiebel aufweist. Die nördliche Begrenzung bilden das Langhaus und die romanischen Türme (frühes 12. Jahrhundert) der Klosterkirche. Der Kreuzgang ist dem barocken Umbau zum Opfer gefallen. So ganz wohl scheinen sich Bauherren und Baumeister dabei nicht gefühlt haben, denn es findet sich in dem sog. Kirchgang südlich der Eingangstreppe eine stattliche Anzahl zierlicher romanischer Säulen (um 1200) als tragende Stützen.

Nach der Übernahme der Anlagen durch die Fürsten von Leiningen im Jahre 1803 ist deren Verwaltung in die Klostergebäude eingezogen und hat gewiß nicht über einen Mangel an Platz zu klagen gehabt. Im Gewässer des fürstlich-leiningschen Seegartens wurde eifrig die Fischzucht weiterbetrieben, der Park selbst geradezu in einer verwunschen anmutenden Weise durch den schon genannten Gartenarchitekten Sckell in englischem Stil umgestaltet und um einiges erweitert.

Ein Rundgang durch die Klosterkirche – übrigens nur im Rahmen von Führungen möglich – ist eine einzigartige Begegnung mit den edelsten Formen des Spätbarock. Sei es bei den Stuckarbeiten der Wessobrunner Meister Johann Michael Feichtmayr und Georg Übelhör, bei den Deckenmalereien des Freskanten und Asamschülers Matthäus Günther oder dem Vergolder Anton Friedel aus Würzburg. Die Farben des Inneren sind unverfälscht, lebendig im Übergang, wie es das Zeitalter liebt. Die Stuckverzierungen sind rosa, die Rahmungen der Decke goldgelb, Pfeiler und Wände in einem Weiß gehalten, das einen Schimmer des Rötlichen und Bläulichen der Pilaster aufzunehmen scheint. Der Raum ist erfüllt von Reflexionen der Farben und des einfallenden Lichtes, ohne daß der Eindruck einer Unruhe aufkommt.

Das Spiel der Linien führt von dem kostbaren Abschlußgitter (Abb. 103) des Chores (1750, Markus Gattinger aus Würzburg) zu der hellbraunen Kanzel mit ihrem doppelläufigen Aufgang, bei der es an Goldverzierungen nicht fehlt (Wolfgang van der Auvera, Würzburg). Der Blick wandert von der wertvollen Stumm-Orgel zu dem Hauptaltar, der in rotem und schwarzem Marmor schimmert, um sich schließlich in den Fluchten und Farben des Gewölbes zu verlieren. Nur wenige Kirchen des deutschen Rokoko weisen diese Harmonie im farblich Bewegten und eine so großzügige Führung im Baulichen auf (1743/47, Maximilian v. Welsch).

Das Faldistorium des Abtes versteht in vornehmen Formen Abstand zu wahren. Drei Stufen führen zu dem Sitz. Das Chorgestühl ist im Vergleich zu dem anderen recht schlicht ausgefallen.

Die Benediktiner und ihre Baumeister haben sich auf der Westseite der Kirche im Maßvollen gehalten. An die romanischen Türme wird nicht gerührt, sie bekommen lediglich eine barocke Doppelhaube aufgesetzt. Die spätbarocke Westfassade schmiegt sich ohne Störung an die Türme und läßt ihnen sogar noch im zweiten Geschoß ein wenig Platz, um sich dann zu zeigen. Sehr günstig erweist sich dabei die strengere Linienführung der vorangestellten schönen Freitreppe, die in ihrem Doppellauf dennoch Züge des Bewegten erkennen läßt (Abb. 101).

Der grüne Saal ist in erlesener Klassizistik ausgestaltet worden und hat eine hervorragende Akustik. Er diente als Empfangsraum der Äbte und für Konzerte im engeren Kreis. Feinste klassizistische Ornamentik schmückt die Bibliothek, die mit Bücherreihen in drei Etagen ausgestattet ist (Abb. 102).

Die Freude am Illusionären kommt hier wirklich nicht zu kurz. Sind die Zugänge verschlossen, glaubt man sich nur von Büchern umgeben. Erst beim näheren Hinsehen wird entdeckt, daß die Türen mit Fantasiebüchern bemalt sind. Das Deckengemälde ist so gestaltet, daß an der Attika geradezu meisterlich Stuckarbeiten vorgetäuscht werden. Mindestens ebenso raffiniert sind die Einlegearbeiten des Fußbodens, die je nach Entfernung einmal einem Quader oder dann einem Würfel und in einer Schrägen sogar Büchern täuschend ähnlich sind.

Auch nach dem neuesten Stand darf angenommen werden, daß das Kloster Amorbach zu Anfang des 8. Jahrhunderts (734?) von iroschottischen Mönchen gegründet worden ist, die nachweislich in Michelstadt eine Kirche errichtet haben. Weder St. Pirmin noch sein Schüler St. Amor sind je in Amorbach gewesen. Die »Scotti« beteiligen sich an der großen karolingischen Sachsenmission. 993 gerät Kloster Amorbach durch gefälschte Papiere unter die kirchliche Aufsicht des Hochstifts Würzburg. Das Kloster verfügt später über größeren Besitz, ohne freilich je an Lorsch oder Fulda heranzureichen. Zu einem ausgesprochenen Kuriosum kommt es 1271, als das Erzstift Mainz die Vogtei der Herren von Dürn und damit auch die weltliche Herrschaft über Kloster Amorbach erlangt. Im geistlichen Bereich bleibt dabei der Anspruch des Hochstiftes in Würzburg über Jahrhunderte unberührt!

Die Äbte haben es verstanden, sich an den Zuständigkeiten vorbeizulavieren, um das Bestmögliche für das Kloster herauszuholen.

Letztlich war die 1000-Jahr-Feier 1734 ein wichtiger Anlaß, den späteren Kirchenneubau voranzutreiben.

Die katholische Pfarrkirche St. Gangolf in Amorbach ist ungewöhnlich groß ausgefallen, eine der wenigen spätbarocken Hallenkirchen der näheren und weiteren Region. Die Farbabstimmung im Innern kann als hervorragend bezeichnet werden, wobei die Deckengemälde von Johann Zick (1753) entscheidend dazu beitragen.

Die Fürsten von Leiningen haben gegenüber das Haus des Mainzer Oberamtmanns zu einem respektablen Palais umgebaut. Ein Abstecher zur nahen Wallfahrtskapelle Amorsbrunn lohnt allein schon wegen des geschnitzten Hochaltars mit der Wurzel Jesse (um 1500).

Die Amorbacher Straße erreicht in der Nähe der St.-Laurentius-Kapelle den Main. In der spätgotischen Kirche befinden sich wertvolle Kunstgegenstände, wie der Flügelaltar im Chor mit St. Wendelin und St. Laurentius auf den Seitentafeln und einer reizvollen Weihnachtsdarstellung in der Predella. Das Gotteshaus ist deshalb zumeist geschlossen und eine Besichtigung nur während der Messe möglich. Wenige Kilometer von hier liegt das große Barockschloß von Klein-Heubach, ein sehenswerter Dreiflügelbau in einem großen Park.

Keine Stadt am Main kann es an Reichtum von Fachwerkbauten und an altertümlichen Reizen mit Miltenberg aufnehmen. Seine mittelalterlichen Grenzen sind im Umlauf der Stadtmauern an der Bergseite und an den Türmen des Mainzer und Würzburger Tors im Tal gut zu erkennen. Miltenberg war nicht nur Kurmainzische Zollstätte. An das Stapelrecht der Stadt und an ihre Bedeutung als wichtiger Handelsplatz erinnert das ehemalige »Mainzer Kaufhaus«. Fachwerk an Fachwerk, eines schöner als das andere, säumt zu beiden Seiten die Hauptstraße (Abb. 104). Es sind derer so viele, daß im Rahmen dieses Bildbandes nur wenige genannt werden können. Das ehemalige Gasthaus »Gulden Cron« weist einen hübschen doppelgeschossigen Erker aus dem 17. Jahrhundert auf. Seine Schildgerechtigkeit reicht bis ins 14. Jahrhundert zurück. Ein weiteres Wahrzeichen von Miltenberg ist der schmuckreiche Renaissance-Bau des Gasthauses »Zum Riesen«. Die »Fürstenherberge« (als solche bereits 1504 bezeichnet) sah in ihren Räumen König Gustav von Schweden und die Generale Tilly, Piccolomini, Wallenstein, Wrangel, um nur einige Persönlichkeiten zu nennen. Nur wenige von ihnen werden ihre Zeche bezahlt haben. Der schönste malerische Winkel ist der Marktplatz mit seinen hochgiebeligen Fachwerkhäusern: links die langgestreckte Kurmainzische Amtskellerei, im Süden das Schnatterlochtor und rechts das stattliche Centgrafenhaus mit Erker.

Der Anstieg zur Burg bietet einen weiten Ausblick zur Stadt und ins Maintal. Von verwunschener Altertümlichkeit ist der Schloßhof, in dem sich der rätselhafte »Teutonenstein« befindet. An die Wohnbauten – der Palas stammt aus dem 14. Jahrhundert – schließt sich eine umfangreiche Zwingeranlage an. Das Wahrzeichen der Feste aber ist der hohe romanische Turm aus Felssandstein.

Mainaufwärts folgt Bürgstadt. Wer hier in die St.-Martins-Kapelle gelangen will, der muß sich für zwei Groschen den Schlüssel im Gemischtwaren-geschäft gegenüber besorgen. Ein reizvolles Martinsrelief ziert den Einlaß der Kapelle. Das Langhaus hat eine originelle Ausmalung erfahren. An den Seitenwänden befinden sich mehrere Reihen von Medaillons mit Darstellungen aus der Heilsgeschichte. Zu dieser Art von Ausführungen müssen dem Maler kluge Pfarrherren geraten haben. Erparte sie ihnen doch während der Predigt und im Unterricht manches erklärende Wort und gab den des Lesens unkundigen Zuhörern Gelegenheit, mit eigenen Augen zu sehen, was im einzelnen jeweils gemeint war.

Im spitzen Dreieck zwischen Main und Tauber stehen die alten Häuser der Stadt Wertheim dicht aneinandergedrängt. Auf einer beherrschenden Höhe ziehen die Wehren und Türme der Burg, die zu den größten mittelalterlichen Festen Deutschlands zählt. Die Grafen von Wertheim waren stets kaisertreu, bei den Hohenstaufen wie bei den Habsburgern oder Luxemburgern. Sie hielten zäh an ihrer Reichsunmittelbarkeit fest, sehr zum Ärger der Würzburger Bischöfe, denen es erst im 14. Jahrhundert gelang, sie lehensmäßig locker an sich zu binden. Um das Wohlergehen der Stadt haben sich die Grafen während ihrer ganzen Regierungszeit gekümmert. Die Wertheimer Bürger mußten nur vor dem Stadtgericht erscheinen. Gegen eine jährliche Abgabe von 1000 Gulden erhielt die Gemeinde selbst den Blutbann. Bei Kaiser Albrecht erreichten die Grafen, daß Wertheim die Rechte der Stadt Frankfurt erhielt. Ludwig der Bayer erweiterte die Privilegien, indem er der Stadt die Freiheiten von Gelnhausen gewährte. Dadurch wurde Wertheim frei von den Ansprüchen der Bischöfe. Im Jahre 1363 kam das Münzrecht hinzu.

Die günstige Lage ließ hier schon früh einen Handelsplatz erstehen. Alte Zunftzeichen wie Anker,

Haken und Ruder an den Häusern erinnern daran, daß Schiffahrt und Fischerei zu den bevorzugten Gewerben zählten. Nach ihnen kamen Weinbau und Weinhandel; aber auch die Tuchmacher und Gerber hatten im Maintal einen Namen.

Zum Rundgang durch die Stadt lasse man sich Zeit! Zahlreiches Fachwerk umgibt den Marktplatz, das schmalste und zugleich schönste ist das ehemalige Zobelhaus.

Am benachbarten Platz befindet sich der Engelsbrunnen, eine bemerkenswerte Renaissance-Arbeit des Baumeisters und Ratsherrn Michel Matzer. Verschiedene Zeitalter werden am Rathaus sichtbar, das aus vier Gebäuden zusammengefügt wurde. Im Turm befindet sich eine doppelte Wendeltreppe, eine erstaunliche bauliche Leistung von großem Seltenheitswert. Das Haus »Zu den vier Gekrönten« ist besonders anheimelnd. Seinen Namen verdankt der Fachwerkbau den Kragsteinen über dem Erdgeschoß mit den Märtyrern Severus, Severinus, Capophorus und Victorinus; vier Steinmetzen aus Rom.

Die gotische Stadtkirche war gleichzeitig Grabkirche der Grafen von Wertheim und Löwenstein. Wie im Odenwald und im Hohenloher Land finden sich auch hier wertvolle Alabasterarbeiten von Michel Kern, am eindrucksvollsten das Freigrab, die »Bettlade« Ludwigs II. von Löwenstein. Keine der vielen Grabplatten reicht an das Epitaph des Grafen Johann I. und seiner zwei Frauen im Chor der Kirche heran: Schlanke Gotik, mehr um das Symbolische als um das Porträt bemüht, zeichnet dieses Denkmal aus den ersten Jahren des 15. Jahrhunderts aus. Von zartgliedriger, spätgotischer Schönheit ist das »Chörlein« am Turm.

Unweit der Stadtkirche befindet sich die Kilianskapelle, eine spätgotische Doppelkapelle mit einer hübschen Maßwerk-Balustrade. Die alten Fischerhäuser an der Taubermündung wirken besonders malerisch. Nichts scheint hier durch die Zeiten berührt (Abb. 105).

Die Burganlagen beweisen, wie gut es die Grafen von Wertheim verstanden haben, das Tauber- wie das Maintal zu beherrschen. Der gewaltige Bergfried stammt aus dem Ende des 12. Jahrhunderts. Am Palas finden sich staufische und gotische Bauformen. Vom Löwensteiner-Bau sind die beiden Untergeschosse erhalten. Spätgotische Zierformen schmücken die Brüstung des Altans. Zahlreiche Wehre und Bollwerke ziehen noch durch die Vor-, Außen- und Hauptburg. Dem Besucher öffnet sich ein Ausblick, der vom Spessart über Main und Tauber bis zum Odenwald reicht (Abb. 106).

Unser nächstes Ziel gilt dem altehrwürdigen Kloster Bronnbach an der Tauber. Seine Anlagen sind nahezu unversehrt erhalten geblieben. Die Wirtschaftsgebäude werden heute durch die Landstraße vom eigentlichen Klosterbezirk getrennt.

Die Bauten sind in ihrer künstlerischen Gestaltung von hohem Rang: Kloster Bronnbach zählt deshalb zu den bedeutendsten Klosteranlagen in Süddeutschland. Seine Gründung erfolgte im Jahre 1151 als Tochterkloster von Maulbronn. Das Eigentum des Klosters wurde durch keinen Vogt bedroht, einziger Schirmherr des Anwesens war der deutsche Kaiser. Schutzherren des Klosters zu werden, erreichten die Wertheimer Grafen durch zahlreiche Listen erst im 14. Jahrhundert.

Die Klosterkirche ist im Übergang vom Romanischen zum Gotischen erbaut. Bemerkenswert, geradezu einmalig ist die Wölbung des Langhauses. Hier haben sich südfranzösische, rheinische und fränkische Stilelemente im Kreuzgratgewölbe(!) zusammengefunden. In dem ursprünglich schlichten Innenraum befinden sich mehrere Barockaltäre, die den Schiffen viel von ihrer Höhe und Tiefe nehmen. Das holzgeschnitzte Chorgestühl ist allerdings von hohem künstlerischem Wert und erinnert an das Gestühl im Westchor des Mainzer Domes. Abt Ambrosius Balbus wird dem Bruder Daniel Aschauer manche Klosterpflichten erlassen haben, damit sein Werk rascher voranschritt (Abb. 107).

Der schönste Teil der Klosteranlage ist wohl der ringsum erhaltene Kreuzgang. Seine Ornamentik reicht vom Spätromanischen bis zu den spätgotischen Formen des 16. Jahrhunderts.

Hier zeigt sich, daß die carta caritatis der Zisterzienser, die Urkunde der Liebe, sich in den Kunstformen über Jahrhunderte erhalten hat: Trotz aller Verschiedenheiten blieb das Einheitliche gewahrt, und an keinem Bogen stellt sich der Eindruck ein, das eine passe nicht zum andern (Abb. 107).

Kloster Bronnbach gehört zu den großen Erlebnissen dieser Reise. Nur einiges konnte hier aufgezeigt werden. Die vielen schönen Details des Klosters – wie etwa der Josephssaal – sollten für viele Anlaß sein, sich auf den Weg zu machen, um sie aus eigener Anschauung zu erleben.

Das Taubertal schlängelt sich gemächlich und ländlich schön anmutend durch den fränkischen Odenwald. Das Gebirge gibt sich bescheiden, von Steilhängen ist keine Rede. In dem stillen Niklashausen wundert man sich dann doch sehr, daß es den berühmten Pfeifer Hans Böhm hervorgebracht hat. Der wortgewaltige Künder eines

neuen Gottesreiches landet durch ein Verdikt des Bischofs von Würzburg am 19. 7. 1476 auf dem Scheiterhaufen. Er soll bis zuletzt Marienlieder gesungen haben.

Tauberbischofsheim zählt zu den früh besiedelten Plätzen der Region. Bonifatius gründete 735 für die hl. Lioba ein Nonnenkloster. Im kurmainzischen Schloß regierte bis 1803 ein Oberamtmann des Erzstiftes. Eine geschickte Restaurierung hat den Anlagen zu einem engeren Verbund verholfen (Abb. 109). Der stolze Rundturm stammt noch aus dem 13. Jahrhundert.

Bei der katholischen Pfarrkirche St. Martin kann uneingeschränkt ein hervorragendes bauliches Gelingen bestätigt werden, das neugotische Gotteshaus (1910) ist den großen Vorbildern von einst sehr nahegekommen. Hinzu kommt eine beachtliche Innenausstattung, nämlich ein Sakramenthaus (1448), ein Taufstein (15. Jahrhundert) und eine formschöne Kanzel (17. Jahrhundert), um wenigstens einiges zu nennen. Zahlreiche alte Epitaphe befinden sich im Innern und an den Außenwänden der Kirche. Die Fußgängerzone ist dem alten Stadtkern glänzend bekommen. Manch alter Winkel kommt dabei wieder zum Vorschein.

Eine größere Freifläche mit Ackerland wird auf dem Weg nach Hardheim überquert. Das Bauland (»Grünkernland«) bildet hier eine Landzunge in den Odenwald. Die Herren von Hardheim haben mit ihrem Baumeister Urban Kaltschmied aus Lindau 1561 ein reizvolles Schloß errichtet, harmonisch in seiner Raumeinteilung und mit übergangslos eingefügten Ecktürmen. Es muß eine besondere Augenweide gewesen sein, als der Herrensitz noch von Wasser umgeben war (jetzt Rathaus). Der riesige »Schüttungsbau« gegenüber dem Schloß zeigt unmißverständlich an, wer damals das Land regierte: Es handelt sich um die ehemalige Zehntscheuer des Würzburger Hochstiftes.

Bald tauchen die Türme der Wallfahrtskirche »Zum hl. Blut« von Walldürn auf, aus der Ferne eher an eine Burg erinnernd, so hoch sind ihre Schiffe. Das Gotteshaus wird nach den Plänen der Mainzer Hofbaumeister Veit Schneider und Joh. Weydt 1698–1727 neu erbaut, nach außen hin in strengem Barock (Abb. 108), mit einer ausgedehnten rückwärtigen Platzanlage, um den vielen Pilgern an Fronleichnam und an fünf Sonntagen nach Pfingsten Gelegenheit zum Sammeln zu geben.

Das Innere überrascht durch eine erlesene Stukkierung mit feinen Farbabstimmungen, die keinen Winkel ausläßt und den Gottesraum festlich zu gestalten versteht.

Der Blutaltar mit dem Wunderkorporale befindet sich im ältesten Teil der Kirche, nämlich an der Westseite des Nordturms, dessen Untersatz in das 14. Jahrhundert zurückreicht.

Im Stadtkern begegnet man noch etlichen stattlichen Fachwerkbauten, einer davon stammt sogar noch aus dem Jahre 1448 (Abb. 108).

Zu einem Besuch des östlich von Walldürn gelegenen Limeslehrpfades (beschildert!) ist zu raten. Zwei Kilometer lang werden wertvolle Informationen über das römische Verteidigungswesen bis ins Detail gegeben und in verschiedenen Originalen anschaulich gemacht, wobei selbst die römischen Ziffernreihen der steinernen Wachttürme genannt werden.

Die Stadt Buchen liegt inmitten des »Madonnenländchens«, 773 erstmals genannt und bis 1309 in der Hand der Herren von Dürn, die dem Ort bereits 1260 zu Stadtrechten verhelfen. Einen malerischen Winkel bildet der Marktplatz mit dem wiederhergestellten barocken Rathaus (1723) (Abb 110). In dem ehemaligen kurmainzischen Amtshaus (sog. »Steinerner Bau«) ist schon seit langem ein Heimatmuseum untergebracht (1493). Viel schönes Fachwerk schmückt die breite Passage zum mächtigen Amorbacher Tor (Ende des 13. Jahrhunderts), dem man später eine barocke Doppelhaube aufgesetzt hat. Eine echte Attraktion bildet die erst 1971 entdeckte Tropfsteinhöhle im nahen Eberstadt mit ihren bizarren Gebilden. An Wochenenden allerdings wird empfohlen, den Ort in den Morgenstunden aufzusuchen.

Der Odenwald wirkt fortan einsamer und wohl auch entrückter, die flachen Kuppen ziehen ruhig und sanft dahin. Die Region macht einen menschenarmen Eindruck, keineswegs darum, weil die Hochstraße die Ortschaften zu meiden sucht. Nur selten erscheint ein Schild, das nach einer Siedlung im tiefer gelegenen Westen weist. Manche dieser kleinen Dörfer haben in jüngster Zeit wegen der römischen Funde, wie die Kastelle in Trienz und Robern, vermehrtes Interesse gefunden.

Die Straße verliert zunächst nur langsam an Höhe und erlaubt sich dazwischen immer wieder einen kurzen Anstieg, als gelte es, von neuem die Schönheit des Landstrichs zu beiden Seiten aufzuzeigen. Das Auge erfreut sich an den feinen Nuancen des Grüns, die sich aus dem Wechsel der Nadelhölzer, Sträucher und Wiesen ergeben. Beruhigendes geht von ihnen aus.

Erst im Tal der Elz fängt die große Abschiedsparade des Odenwaldes an. Die Sonne erreicht am späten Nachmittag fast noch jeden Winkel, sie leuchtet das Tal im wahrsten Sinne des Wortes aus. Die kleinen Terrassen der Abfahrt werden genüßlich durchfahren, weil in den Kehren die abwärtsgleitenden Züge der Nordosthänge voll in den Blick gelangen. Schilder zeigen an, daß Mosbach immer näher rückt. Noch bleibt es eine Weile bei der Talfahrt, die sich so verschwenderisch in ihrem Ausblick erweist. Bei der Abzweigung nach Lohrbach mag der einstige Sitz der Johanniter am Ende des Ortes in Erinnerung kommen, der später zu einem Wasserschloß von Kurpfalz erweitert wird. Nur der düstere quadratische Bergfried am Einlaß zum Schloß geht noch auf die Ritter zurück. Die Restaurierung ist derzeit mitten im Gange.

Mosbach bildet einen würdigen Abschluß unserer Reise durch den Odenwald. Hauptstraße und Marktplatz bestehen fast nur aus Fachwerkhäusern, wobei auch alemannische Varianten vorkommen. Einmalig bleibt dabei das Palmsche Haus (1610) in seiner kunstvollen Behandlung großer Flächen und in dem hervorragend gelungenen Übergang der Bauelemente in dem dreigeschossigen schönen Erker (Abb. 111).

Ruhe und Stolz strahlt das Rathaus mit seinem Staffelgiebel und der Freitreppe aus (1554/58), dessen Turm sich im Nordosten nahtlos einzufügen versteht.

Auch in der weiteren Entfernung bleibt der Odenwald noch lange gegenwärtig. Die Linien seiner Höhenzüge sind nun dünner geworden, aber das weiche Nebeneinander der absteigenden Gebirgsrücken entzückt auch noch in größerem Abstand.

Darmstadt:

Relieffiguren von Hoetger im
Platanenhain

Relief statues by Hoetger in the
plane-tree grove

Sculptures de Hoetger parmi
des platanes

Darmstadt:
Russische Kapelle
Russian chapel
Chapelle russe

Darmstadt:

Marktplatz mit Renaissance-Rathaus

Market Square with Renaissance
town hall

La place du Marché et l'hôtel de ville
de la Renaissance

Darmsta
Neues Sch
New Ca
Le Nouveau Châte

Darmstadt:

Nördliche Toreinfahrt vom Alten Schloß
mit Brücke und Graben

Northern gate of the Old Castle with
bridge and moat

La porte nord du Vieux Châteaux avec le
pont et le fossé

Schloß Kranichstein
Kranichstein Castle
Le Château de Kranichstein

Zwingenberg

Teehaus
Tea-house
Le salon de thé

Auerbach: Fürstenlager
Auerbach Fürstenlager Park
Le parc de «Auerbach
Fürstenlager»

Auerbacher Schloß
Auerbach Castle
Le Château d'Auerbach

Bensheim:
Mittelbrücke mit Brückenheiligen

Central Bridge with its "Bridge's Saints"
in Bensheim

Bensheim: Le «Pont Central» avec les
«Saints du Pont»

Bensheimer Fachwerkhäuser
Half-timber houses in Bensheim
Des maisons à colombage à Bensheim

Ausblick in den Odenwald mit
Starkenburg

View of the Odenwald with the
Starkenburg Castle

La vue sur l'Odenwald avec le
Starkenburg

Felsenmeer bei Reichenba◉

A sea of rocks near Reichenba◉

Des rochers près de Reichenba◉

Heppenheim:
Marktplatz mit Rathaus

Market Square and Town Hall in
Heppenheim

La place du Marché et l'hôtel de ville
à Heppenheim

Blick in die Rheinebene:
»Dom der Bergstraße«

View of the Rhine Valley:
"Dome of the Bergstraße"

La plaine du Rhin: le dôme du
Bergstrasse

Lorsch:
Torhalle

Gate hall in Lorsch

Le porche de Lorsch

Lorsch:

Kapitell und Säulenschmuck der
Torhalle

Column capital and ornaments of the
gate hall

Le chapiteau et les ornements de la
colonne du porche

Weinheimer Park mit Burg
Windeck und Wachenburg

The Weinheim Park with the castle ruins
Windeck and Wachenburg

Le parc de Weinheim avec les châteaux
forts de Windeck et Wachenburg

einheimer Schloß mit Park

einheim castle with park

château et le parc de Weinheim

Strahlenburg bei Schriesheim

Ruins of the Strahlenburg Castle near
Schriesheim

Le Strahlenburg près de Schriesheim

idelberg mit Blick vom
ilosophenweg

ew of Heidelberg from the
ilosophers' Way

idelberg vu du Chemin des
ilosophes

Alte Brücke mit Turm der Heiliggeistkirche

Old Bridge with tower of the Holy Spirit
Church

Le Vieux Pont et la tour de l'église du
Saint-Esprit

Neckargemünd

Vierburgenstadt Neckarsteinach

Neckarsteinach with its four castle ruins

Neckarsteinach, la ville aux quatre
châteaux forts

Refektorium des ehem. Zisterzienser-
klosters Schönau

**Refectory of the former Schönau
monastery**

Le réfectoire du l'ancien couvent de
cisterciens

Landschaft bei Grasellenbach
Landscape near Grasellenbach
Le paysage près de Grasellenbach

69

Blick auf Lindenfels mit Burg

View of Lindenfels with castle ruins

Lindenfels avec la forteresse

Herbststimmung bei Reichelsheim

Autumn near Reichelsheim

Une impression de l'automne près de
Reichelsheim

loß Reichenberg
ichenberg Castle
château de Reichenberg

Ruine Rodenstein
Rodenstein ruins
Les ruines de Rodenstein

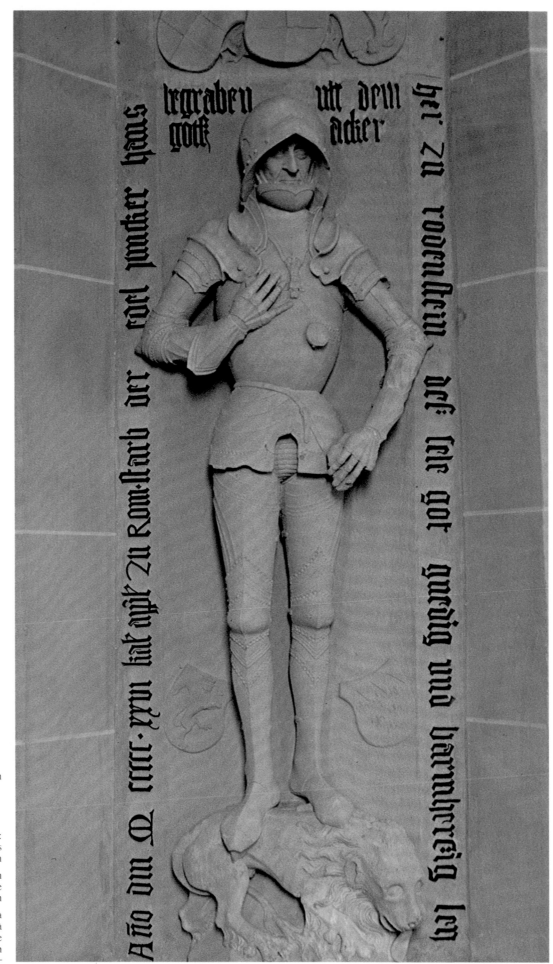

Añō dm M cccc·ppii hat ppst zu Rom·ſtarb der edel puncker hans legraben gott uff dem acker bei zu rodenstein des got ſee gnedig und barmherzig ſen

Schloß Lichtenberg

Lichtenberg Castle

Le château de Lichtenberg

Ehemaliges Wasserschloß in Ernsthofen

Former water-castle in Ernsthofen

L'ancien château à Ernsthofen

Bauernhof bei Reichelsheim
Farm near Reichelsheim
Ferme près de Reichelsheim

Die Feste Otzbe
Otzberg Fortre
La forteresse d'Otzbe

Schloß Wamboldt in Groß-Umstadt

Wamboldt Castle in Gross-Umstadt

Le château de Wamboldt à
Gross-Umstadt

Marktplatz mit Renaissance-Rathaus in
Groß-Umstadt

Market Square with Renaissance town
hall in Gross-Umstadt

La place du Marché avec l'hôtel de ville à
Gross-Umstadt

Limeskastell »Porta Dextra« bei
Scheidental

Castelet "Porta Dextra" near
Scheidental

«Port Dextra», le fort de limes près de
Scheidental

ste Breuberg

euberg Fortress

forteresse de Breuberg

Kastell Hainhaus

Hainhaus castelet

Le fort de Hainhaus

Schloß Fürstenau mit großem
Renaissance-Schwibbogen

Fürstenau Castle with large Renaissance
flying buttress

Le Château de Fürstenau et le grand
arc-boutant

Einhartsbasilika bei Steinba

Einhart Basilica near Steinba

La Basilique Einhart près de Steinba

Seite/Page 86

Landschaft im Odenwa

Landscape in the Odenwa

Paysage en Odenwa

Landschaft im Odenwald

Landscape in the Odenwald

Paysage en Odenwald

An der Stadtmauer von Michelstadt mit
Diebsturm

The city wall of Michelstadt with the
"Diebsturm"

Les murs et le «Diebsturm» à
Michelstadt

Michelstadt: Innenhof der
»Alten Kellerei«

The courtyard of the "Old Wine-Cellar"
in Michelstadt

La cour intérieure de la «Vieille Cave» à
Michelstadt

Fachwerk-Rathaus mit Evangelisch
Stadtkirche und Marktbrunn

Half-timber town hall with Protesta
church and fount

L'hôtel de ville à colombage avec l'ég
évangélique et la fonta

90

Wilder Fingerhut im Juni

Digitalis in June

Des digitales en juin

Im Englischen Park von Eulba

The "English Park" in Eulba

Le «Parc Anglais» à Eulba

Innenhof des Schlosses Erbach

Courtyard of the Erbach Castle

La cour intérieure du château d'Erbach

Erbach: an der Mümling

Erbach on the Mümling

Erbach sur le Mümling

Beerfelden:
Zwölfröhrenbrunnen

Twelve-spouted fountain in Beerfelden

Puits à douze tubes à Beerfelden

Dreischläfriger Galgen von Beerfelden

Gallows in Beerfelden

Le gibet de Beerfelden

Hirschhorn mit Schloß und Stadtmauer

Castle and city-wall of Hirschhorn

Hirschhorn avec le château et le mur de ville

Eberbach: Ehemalig
Kellerei und Pulvert
Former wine-cellar
and Gunpowder Tow
in Eberbach
L'ancien cave et la
Poudrière à Eberbac

Im Palas der Burgruine
Wildenberg

Mansion of the Wilden-
berg Castle ruins

La partie résidentielle
des ruines de Wildenberg

Kloster Amorbach

Amorbach monastery

Le monastère d'Amorbach

Barocke Freitreppe zur Klosterkirche

Baroque parron leading to the monastic church

Le perron baroque conduisant à l'église conventuelle

101

Amorbach:

Stummorgel mit Teilen des Chorgitters

Organ with part of the chancel rail

L'orgue et, en partie, la grille de chœur

Klassizistische Klosterbibliothek

Classicistic monastic library

La bibliothèque du monastère, exemple
du classicisme

Amorbac
Im Innern der Klosterkirc
Interior of the monastic chur
L'intérieur de l'église conventue

Fischerhäuser an der Taubermündung
Wertheim

Fishermen's dwellings in Wertheim,
where the Tauber joins the Main

Les maisons de pêcheur au confluent de
la Tauber et du Main à Wertheim

auptstraße von Miltenberg mit Burg

iltenberg, Main Street with castle

ue principale et la forteresse à
iltenberg

105

Blick zur Burg Wertheim

View of the Wertheim castle ruins

Le château fort de Wertheim

Klosterkirche in Bronnbach mit
Chorgestühl

Bronnbach monastic church with choir
stalls

L'église conventuelle avec les stalles à
Bronnbach

Kreuzgang

Cloister

Le cloître

Kurmainzisches Schloß in
Tauberbischofsheim

Kurmainz Castle in Tauberbischofsheim

Le château de Kurmainz à
Tauberbischofsheim

Buchen:
Marktplatz mit Rathaus

Market Square with town hall in Buchen

La place du Marché et l'hôtel de ville à
Buchen

Mosbach: Palmsches Haus
"Palmsche Haus" in Mosbach
Le «Palmsche Haus» à Mosbach